Luis Palés Matos, en 1954.

LUIS PALES MATOS

POESÍA

1915-1956

Introducción por

FEDERICO DE ONIS

EDITORIAL UNIVERSITARIA
UNIVERSIDAD DE PUERTO RICO
1971

Primera edición, 1957
Segunda edición, 1964*
Tercera edición, 1968
Cuarta edición revisada, 1971

*NOTA BENE: Luis Palés Matos murió en San Juan, el 23 de febrero de 1959. Con esta edición se rindió tributo a su memoria en el quinto aniversario de su muerte.

Depósito Legal: B. 46.328 - 1970

Impreso en España   Printed in Spain
―――――――――――――――――――――――――――――――――――――――
Imprime: M. Pareja, Montaña, 16 - Barcelona

A María, mi esposa.
A Guido y Ana Mercedes, mis hijos.

INTRODUCCIÓN

Conocí a Luis Palés Matos cuando vine a Puerto Rico por primera vez, en el verano de 1926. Esta fecha, como veremos, es importante en la historia de su creación poética, porque en aquel año o el anterior empezó a escribir los poemas de tema negro, modalidad de su poesía rápidamente difundida, que le colocó en seguida entre los poetas de primera fila en el mundo hispánico. Me llevó a verle José Robles Pazos, joven profesor de español en Johns Hopkins, que había venido a enseñar en el curso de verano de la Universidad. Robles se había formado en Madrid en el momento de la agitación literaria que en España se llamó "ultraísmo", forma hispánica de la nueva actitud ante la literatura, el arte y la vida que en todo el mundo cuajó con diversos nombres después de la primera guerra mundial. El afán juvenil de novelería que poseía a Robles —y que diez años después le costó la vida en la guerra civil española— hizo que se entusiasmase con la poesía de Luis Palés por ser la única en Puerto Rico que le parecía responder a la nueva modernidad, sobre todo en el tema negro que por entonces estaba de moda en Europa. A mí también me interesó en seguida el joven poeta puertorriqueño, no por lo moderno o antiguo, lo negro o lo blanco, que había en las pocas poesías suyas que conocí, sino porque en ellas sentí la presencia de una persona poética original.

Al año siguiente, el 15 de septiembre de 1927, apareció en *La*

Gaceta Literaria de Madrid un artículo de Robles, titulado "Un poeta borinqueño", que fue el primer paso en el conocimiento de Palés Matos en el mundo hispánico más allá de la Isla de Puerto Rico. Este artículo muestra la agudeza inteligente de Robles y al mismo tiempo los prejuicios de moda y escuela a que aludí antes, que le ciegan para apreciar el valor de la poesía de Palés en sí misma. Le coloca "a la cabeza de la poesía puertorriqueña", porque su última obra de entonces hace "presumir que su producción futura lo aliste entre los vanguardistas"; y porque "mejor orientado" que los otros, su "personalidad todavía fluctuante se concreta y se define conforme va repudiando los ídolos de su juventud". Al afirmar que "posee un instinto moderno de la lírica" implica que es más importante que la existencia del instinto el hecho de ser moderno.

Al juzgar su obra anterior a los poemas negros, todos sus juicios se reducen en definitiva a decir que a pesar de su valor "no es una obra de vanguardia. Ni está libre del trasnochado parnasianismo, ni completamente limpia de influencias"; hay en ella "recuerdos de Antonio Machado, reminiscencias de Valle Inclán, algún eco lejano de Darío". Todo lazo con el pasado inmediato es condenado con adjetivos derogatorios, implicando que sólo lo nuevo es bueno.

Sólo se salvan, aunque no del todo, sus poemas sobre motivos negros, de los cuales dice:

"Sus evocaciones de pueblos misteriosos —Cambodja, Marousangana—, sus danzas caníbales, con sonoro ritmo de gong —calabó y bambú, bambú y calabó— constituyen la nota más original del libro... La fuente de estas composiciones está, probablemente, en el "Decamerón negro" y en ciertas novelas francésas de René Maran, Paul Reboux y otros. De la inspiración directa en los negritos borinqueños hubiera salido una poesía popular, y Palés es un poeta culto, que no explota el folklore. Culto y no culterano.

Con esto queda dicho que no cabe dentro del grupo avanzado de España (Lorca, Alberti) que trata, precisamente, de armonizar lo gongorino con lo popular."

Cuando Robles escribió este artículo, las poesías de tema negro a que se refería eran las que Palés había escrito antes de esa fecha: la que empieza *Esta noche me obsede la remota*, publicada en *La Democracia* del 18 de marzo de 1926 con el título "Africa" y después con el título "Pueblo negro"; la que empieza *Calabó y bambú*, publicada en *La Democracia* el 9 de octubre de 1926 con el título "Danza negra"; la que empieza *Los negros bailan, bailan, bailan,* publicada en *Poliedro* el 5 de marzo de 1927 con el título "Danza caníbal", y quizá la titulada *Kalabari,* escrita en 1927.

Estas cuatro poesías son las mismas que tenían en mente otros dos críticos españoles, también profesores visitantes en la Universidad de Puerto Rico, Amado Alonso y Angel Valbuena Prat. El primero hizo de paso este juicio: "Destaca este alto poeta por el sentimiento del ritmo acústico del lenguaje: un ritmo tan exaltado, que, en la música, tendremos que buscarle pareja en Borodín, autor de las Danzas del Príncipe Igor." El segundo publicó en marzo de 1929 en la revista puertorriqueña *Hostos* un artículo titulado "En torno a los temas negros", en el que se refiere a Palés en esta forma: "En Puerto Rico las perfectas, rítmicas, vibrantes poesías de tema negro de Palés." Aunque no dice más de ellas, son sin duda el motivo que le lleva a tratar de los antecedentes del tema negro en la literatura. No hace referencia a otros poetas hispanoamericanos sobre el mismo tema, porque todavía no habían empezado a escribir o no se habían dado a conocer. Señala como antecedentes inmediatos el interés que la Europa cansada de la posguerra tuvo en "las razas jóvenes y los valores vitales", y por lo tanto en el negro y su cultura, que produjo obras como el *Decamerón negro* de Frobenius y *Magia*

9

negra de Paul Morand; en los Estados Unidos, la música del jazz y los poetas negros y de tema negro, y en España, la vuelta a los gitanos, que produjo el *Romancero gitano* de Federico García Lorca. La mayor parte del artículo, y la que tiene más novedad, se dedica a descubrir antecedentes antiguos del tema negro, sobre todo en el teatro español del Siglo de Oro, cuyos bailes y cantos de negros ofrecen una rara semejanza con las poesías negras de los poetas modernos, aunque éstos no los conocían sin duda.

Valbuena Prat amplió este artículo en otro fechado en mayo de 1933, que apareció como prólogo del libro de Palés *Tuntún de pasa y grifería* publicado en 1937. Entre estas dos fechas (1929-1937) escribió Palés la mayor parte de sus poesías de tema negro, fueron divulgadas algunas a través del mundo hispánico por los mejores recitadores, y se produjo en torno a ellas una gran actividad crítica: todo lo cual junto dio como resultado la consagración definitiva de Palés Matos a base de una pequeña parte de su obra poética.

Las poesías negras de este período son más y son distintas de las anteriores y entre sí. He aquí la cronología de las más importantes: "Canción festiva para ser llorada" (junio, 1929), "Falsa canción de baquiné" (diciembre, 1929), "Elegía del Duque de la Mermelada" (julio, 1930), "Bombo" (julio, 1930), "Lamento" (1930), "Ñam-ñam" (1932), "Numen" (1932), "Ten con ten" (noviembre, 1932), "Majestad negra" (1934), "Intermedios del hombre blanco" (1935-1937), "Mulata-Antilla" (1937), "El náñigo sube al cielo" (1937), "Lagarto verde" (1937).

El recitador que contribuyó primero a dar a conocer algunas de estas poesías fue el español José González Marín, que actuó en Puerto Rico en 1932, y de aquí fue a Cuba, México, Nueva York, y después de casi un año regresó a Madrid, donde desde abril de 1933 en adelante incluyó a Palés en sus recitaciones. Esta labor fue reforzada por otra recitadora, que por ser antillana llevaba

10

más en el alma la poesía de Palés, la cubana Eusebia Cosme, quien desde 1935 actuó en Madrid, Nueva York y Puerto Rico mismo. Por el mismo tiempo Leopoldo Santiago Lavandero, recitó sus poesías en Puerto Rico y Nueva York, como después lo hicieron otros puertorriqueños. Más tarde, en 1941, la recitadora argentina Berta Singerman incluyó poesías de Palés en sus programas.

En esos mismos años, antes de que esas poesías y algunas otras apareciesen reunidas en libro en 1937, y después con motivo de esta primera edición, se desarrolló en Puerto Rico primero y en el extranjero después la crítica en torno a la poesía de Palés que había sido iniciada por los españoles visitantes en la Isla. En la crítica puertorriqueña se destacan dos autores, Tomás Blanco y Margot Arce, por ser los que han prestado a la obra de Palés una atención más detenida y constante.

El primer artículo de Tomás Blanco sobre Palés apareció en septiembre de 1930 en *The American Mercury* con el título "A Porto Rican poet: Luis Palés Matos". En él se da por primera vez un intento de construcción de la biografía y carácter del poeta y de la evolución de su obra. En cuanto a la valoración de ésta, es negativa por lo que se refiere a su primer libro de adolescencia (*Azaleas,* 1915) y su segundo libro no publicado *El palacio en sombras* (1919-1920). De ellos señala solamente que muestran que sus lecturas desde el principio fueron muchas: "a pelemele of Romanticists, Parnassians, Symbolists, Modernists, and what not: Hugo, Dumas, Lamartine, Byron, Poe, Sudermann, Gorki, Baudelaire, Verlaine, Valle Inclán, Herrera Reissig, Lugones, and, of course, Rubén Darío". De este segundo libro da como muestra la traducción al inglés del poema "San Sabás", hecha por Muna Lee y publicada en *The Catholic Anthology.* Más valor se concede a otro libro no publicado *Canciones de la vida media* (1925), que tiene como tema su vida en Guayama, su ciudad natal. "Here, within traditional molds, Palés shows his knowledge of the resources of Spanish, and the sense of rhythm and power of suggestion which were to be developed in his Negroid poems." Y como muestra da, traducido al inglés, el poema "Piedad, señor, piedad para mi pobre pueblo". El valor superior de Palés se encuentra en los poemas de tema negro. "But his best work, the oncoming of his poetical maturity, the attainment of real originality, dates only from the publication of his first Negroid poem, "Pueblo Negro" (1925). During the past four years he has produced a series of poems inspired, not exactly by the Negro population of Puerto Rico, but rather by the exotic Negro of travelers, missionaries, slaves, explorers, and ethnographers, with an admixture of Haitian royalty, Cuban ñañigos, childhood reminiscences of slavesongs, and other West Indian flavorings." Destaca la "Canción festiva para ser llorada", de la que dice: "He has managed to pour the spirit of modern poetry into the classical vessel of the old romance castellano, reminding the reader of one of the foremost modern Spanish poets, García Lorca; yet the piece is quite distinctly Antillean and Palesian."

Las ideas esbozadas en este primer artículo de 1930 fueron ampliadas y en parte rectificadas en otros estudios posteriores de Tomás Blanco. Los dejo para después, porque entretanto, en los años 1932-1933, se suscitó en Puerto Rico una polémica acerca de la autenticidad y significación del tema negro en la poesía de Palés. Intervinieron en ella entre otros J. I. de Diego Padró ("Antillanismo, criollismo, negroidismo", *El Mundo,* 19 de noviembre de 1932); Luis Antonio Miranda ("El llamado arte negro no tiene vinculación con Puerto Rico", *El Mundo,* noviembre 1932); Graciany Miranda Archilla ("La broma de una poesía prieta en Puerto Rico", *Alma Latina,* febrero 1933) y el mismo Palés ("Hacia una poesía antillana", *El Mundo,* 26 de noviembre 1932). Como suele ocurrir en las polémicas, todo el mundo tiene

12

su parte de razón. Se trataba no tanto del valor en sí de la poesía de Palés, como de la significación del aspecto negro de ésta en relación con la realidad de Puerto Rico y con el programa ideológico de lo que la poesía debería ser para tener carácter nacional puertorriqueño. La poesía de Puerto Rico, como la de cualquier otro sitio, ha sido, es y será nacional, trate del tema que trate, siempre que sea poesía original y tenga por lo tanto valor universal al mismo tiempo que individual. Identificar la realidad puertorriqueña o antillana con lo negro que haya en ella es tan falso como considerar lo negro ajeno a ella. Unificar a las Antillas es exacto y es inexacto al mismo tiempo, porque su parentesco evidente no destruye el hecho no menos evidente de sus diferencias ni el de su hermandad más honda con todo el resto del mundo hispánico. Todos estos problemas apasionantes e insolubles se trataron en la polémica, que se apaciguó pronto; pero han reaparecido en la crítica posterior siempre que ésta se ha aplicado a analizar la poesía de Palés.

En 1933 Tomás Blanco volvió a escribir sobre Palés, desde Madrid, y en un artículo titulado "En familia" amplía y precisa su interpretación anterior, cuando dice que Palés "a la vez que va en busca de renovaciones y universalidad se afirma sobre la base sólida de su propia tierra, del ambiente íntimo de las modalidades diferenciales. Pretende por la selección, la depuración y la estilización llevar lo íntimo y local de su criollismo antillano (negro, mulato, blanco y hasta nórdico) hacia las esferas artísticas de lo universal y lo humano". Y en cuanto al tema negro dice ahora: "A Palés se le ha considerado con harta frecuencia como autor de poemas negroides y nada más... Palés no ha interpretado la Antilla en términos del negro con exclusividad de otros factores... El negro de Palés (el de "Bombo" por ejemplo y el de "Numen") es un negro casi hipotético y abstracto. Un negro que sería completamente exótico en la Antilla si no fuera una representación

13

sincera de lo que atisba el poeta en el fondo africano, mandinga, carabalí, del alma negra antillanizada. Viven además otros negritos, otros simpáticos negritos, muy nuestros, muy del Mar Caribe, en los versos de Palés. Muchos viven sin necesidad de describírseles. Están evocados sencillamente en medio de un "con la licencia de su mercé", en un "¿quién enciende en las alturas tal borococo antillano? ", o aparecen de pronto como una realidad de carne y hueso, en cuerpo y alma, como cuando anota "es la negra que canta su sobria vida de animal doméstico". Pero no se ha limitado Palés a interpretar la Antilla unilateralmente. Su "Canción festiva para ser llorada" es, a mi juicio, en la lírica antillana, la exposición más integral y más acabada de nuestra tragedia: saturada toda ella de un finísimo humor, sin embargo. En cuanto al factor blanco.:. baste decir que en su "Intermedio del hombre blanco Núm. I", como en otros pasajes, nos da su visión poética no ya sólo del blanco sino hasta del rubio nórdico en la Antilla... Además, en su actitud, en sus modalidades, en sus interpretaciones, Palés es casi siempre blanco puro." Hay en el mismo artículo otras observaciones conducentes a señalar el valor de la poesía de Palés en el uso del léxico y la creación de imágenes.

En este sentido, el del análisis estético y estilístico, ha hecho más que nadie, como era de esperar, la profesora Margot Arce. Su primera contribución fue una conferencia pronunciada el 22 de septiembre de 1933 sobre "Los poemas negros de Luis Palés Matos". En ella, después de reconstruir la biografía y la evolución de su poesía, trata con objetividad de los problemas suscitados por su poesía negra y se detiene en el análisis de sus procedimientos de creación poética, esbozo breve que ha de desarrollar en otros trabajos posteriores. Lo esencial de sus ideas es esto: "Esos procedimientos van encaminados a sugerir y a crear un ritmo imitativo. La hábil, magistral imitación de ambos propósitos nos da el ambiente, la atmósfera de los poemas. Para sugerir el poeta se vale de los temas, del vocabulario, de la alusión geográfica, de la descripción y de las imágenes. Los temas son los siguientes: descripciones de pueblos y de costumbres de negros, evocaciones de la mitología africana, ritos y supersticiones mágicas, visiones de paisaje y de geografía negra, sátira de la aristocracia de Haití, contrastes humorísticos entre la cultura del blanco y la del negro. Al tratar estos temas, Palés se coloca en un punto de vista subjetivo e interpreta lo negro con cierta condescendencia complacida y escéptica de hombre blanco que duda de todo, hasta de su propia cultura... El vocabulario es heterogéneo. Se compone de palabras del léxico de las Antillas: ñáñigo, baquiné, mariyandá, mandinga; de voces negras africanas sacadas, según sospecho, de las fuentes literarias que citamos arriba: tungutú, botuco, topé, calabó y de palabras o sonidos onomatopéyicos creados por el propio Palés: cocó, cucú, tumcutúm. La geografía negra es abundante: Tombuctú, Fernando Póo, Martinica, Haití, Congo, Angola, Uganda... También alude a divinidades de la mitología africana: Ecué, Changó, Ogún Bagadrí; y a sus ritos mágicos; baquiné, balele, candombe. Cita, en fin, una gran cantidad de nombres propios usuales entre los africanos: Babissa, Manassa, Cumbalo, Milongo. Hay otros inventados por Palés con intención caricaturesca visible; Madame Cafolé... La descripción y la metáfora tienen en esta poesía verdadera categoría estética. Palés es un sensual de la vista, del tacto y del oído. Sus metáforas y descripciones sugieren casi siempre imágenes de sonido, color y tacto; imágenes muy precisas, fuertemente sugestivas y plásticas, donde la calidad y el matiz se reproducen fielmente: *sol de hierro, cuerpos de fango y de melaza, ritmo gordo del mariyandá, caldo de lodo suculento.* Tienen estas imágenes un realismo agrio, de brocha gorda. Nos trasladan a un mundo brillante y húmedo; a un paisaje de trópico misterioso, caliente, rojo, de un barroquismo pesado y chillón. Algunos adjetivos, manejados con brío y novedad completan el efecto: *noche feroz, luna podrida, suculentas metáforas, papiamentosas antillas, idioma chorreoso.*

"El supremo acierto de la poesía de Palés es el ritmo. Con verso pulido, con dominio cabal de los resortes acústicos de la lengua, el poeta ha imitado perfectamente el ritmo de las danzas negras; el sonido acompasado, variable, insistente y, a ratos, sinuoso de la bomba y el son; ritmo sincopado, profundamente dramático, de un dramatismo violento y sensual. Repetición de palabras, de versos y de estrofas enteras, efectos onomatopéyicos, y una distribución admirable y segura de los acentos rítmicos del verso logran la perfecta imagen acústica. El efecto de insistencia y de variación se obtiene por medio de la construcción o composición simétrica del poema... Palés alcanza en estos poemas resultados de gran sonoridad, pero de sonoridad de tipo grave y posterior. Emplea en abundancia los sonidos vocálicos *u, o,* las consonantes sonoras vibrantes, las nasales, que sugieren el habla gangosa del negro, y las oclusivas sordas, que acentúan el ritmo y le prestan fuerza de golpe de tambor. La abundancia de palabras y de rimas agudas sirve al propósito del claro efecto rítmico..."

"Luis Palés Matos es un poeta culto, mejor dicho, culterano. El artificio de su poesía se manifiesta en el cuidado verdaderamente gongorino que dedica a la parte formal y metafórica. Se aparta de los modos poéticos populares; interpreta lo negro como un blanco civilizado y escéptico. Se diferencia así esencialmente de Nicolás Guillén y Emilio Ballagas. Estos poetas utilizan lo popular auténtico, el lenguaje de los negros habaneros, y tratan de traducir de manera realista, no superrealista, el espíritu de la raza negra. Sus negros están circunscritos a una región y limitados a una geografía. Ven el negro desde dentro y en negro. Palés, por el contrario, lo interpreta desde arriba, desde fuera y en blanco; pero su interpretación por objetiva y distanciada logra mayor

16

agudeza. En ella se cumple el axioma de que la realidad poética supera siempre a la histórica realidad cotidiana."

Estos puntos fueron desarrollados más tarde por la doctora Arce en algunos estudios monográficos, que no es posible extractar aquí. Antes, a raíz de la publicación de su primera conferencia hubo un diálogo amistoso entre Tomás Blanco y Margot Arce, en el que llegaron a un acuerdo y a una mayor precisión en lo tocante a la génesis e interpretación del tema negro en la poesía de Palés. Esto ocurría en 1935. Por el mismo tiempo la crítica de Palés adquiere mayor extensión y una nueva dimensión al salir de Puerto Rico y centrarse en Cuba, donde había surgido también una nueva poesía afrocubana. La primera poesía negra de Palés es anterior a la cubana e independiente de ella. El libro de Nicolás Guillén *Motivos de son* es de 1930 y su segundo libro *Songoro cosongo* de 1931. Estos libros pusieron en seguida la poesía cubana en el primer plano del conocimiento general, cuando Palés no había publicado aún ningún libro ni había empezado la labor de difusión de algunas de sus poesías por obra de los recitadores. En Cuba había empezado un poco antes el cultivo de la poesía negra con poesías sueltas publicadas por el mismo Guillén y por otros antes que él. Si no estoy equivocado, éstas fueron "Grito abuelo" de José Manuel Poveda (1927), "Bailadora de rumba", de Ramón Guirao (8 de abril de 1928), "La rumba", de José Z. Tallet (agosto 1928) y los "Poemes des Antilles" de Alejo Carpentier (1929). Como ya hemos visto Palés había empezado a publicar poesías de tema negro en 1926. No trato, al establecer esta prioridad, de implicar la influencia de la poesía de Palés sobre la cubana; trato de establecer la independencia y originalidad de Palés y de explicar porqué la crítica sobre Palés llega a centrarse en Cuba en 1935 y la crítica extranjera posterior va a juzgar a Palés dentro de la órbita antillana, olvidando a menudo su individualidad personal y puertorriqueña. Entre 1930 y 1935 la poesía de Palés y la cubana anduvieron juntas en boca de los recitadores y en las antologías y estudios de la poesía que se empezó a llamar afrocubana o afroantillana. Los poetas sin duda se conocieron los unos a los otros y hubo influencias mutuas; pero es más importante el hecho de que fuentes comunes universales hayan producido coincidencias y sobre todo diferencias esenciales entre la poesía de Palés y la de sus hermanos cubanos, como ya señalaba Margot Arce en 1933. Ahora en 1935, es Fernando Ortiz el que inicia la nueva crítica de amplitud antillana, incluyendo a Palés en sus estudios sobre la que él llama "poesía mulata", publicados en la *Revista Bimestre Cubana* entre 1935 y 1937. En esta revista, de la que era director, se publicaron o reprodujeron estudios sobre Palés de Margot Arce, Ramón Lavandero y Tomás Blanco, y este último fue invitado a dar una conferencia sobre Palés en la Institución Hispano-Cubana de Cultura el 7 de noviembre de 1937. A esta nueva situación se debe el hecho de que Palés sea tenido en cuenta entre los poetas de primer orden no sólo por los críticos cubanos que trataron de la poesía negra sino por críticos españoles como Domenchina (1935, 1936) y Guillermo de Torre (1936) o argentinos, como Leónidas Marletta (1937), sin necesidad de venir a Puerto Rico.

El año de 1937 marca un hecho de primera importancia para el conocimiento de Palés, o sea, la publicación en libro de sus poesías de tema negro y algunas otras, con el título *Tuntún de pasa y grifería* y el subtítulo *Poemas afroantillanos,* precedido por un prólogo de Angel Valbuena Prat, fechado en 1933. La publicación de este libro suscitó numerosos comentarios en Puerto Rico, que contribuyeron a fijar el valor de la poesía de Palés, tales como los de Antonio J. Colorado, Nilita Vientós, Jorge Font Saldaña, Manuel García Cabrera, Luis Villaronga y otros, que me gustaría poder extractar aquí, así como los que se publicaron después con motivo de la segunda edición, que apareció en 1950, precedida de una conferencia de Jaime Benítez, que ilumina el aspecto social latente en la poesía de Palés. Los comentarios extranjeros son escasos, prueba de que esas ediciones circularon poco fuera de Puerto Rico; pero algunos son importantes, como el de Mariano Picón Salas (1938) y Aida Cometta Manzoni (1954).

Ya que no es fácil hacer un extracto de todos estos trabajos, que aunque añaden notas personales valiosas, en general insisten en las ideas ya recogidas, quiero mencionar uno donde se mira la poesía de Palés desde un punto de vista nuevo y se hace una revalorización de la obra total del poeta. Es una conferencia del profesor puertorriqueño Gustavo Agrait, escrita en 1955, donde entre otras cosas dignas de notar, se dice lo siguiente:

"No seré yo quien se ponga a negar el mérito patente de los versos negros de Palés. Pero quede anticipada aquí la idea de que a pesar de la alta calidad poética de ese episodio en su producción, pese a la bien merecida fama que le han dado... no han dejado de hacerle un poco de mal... Muchos han llegado a pensar que Palés no ha hecho sino ese tipo de poesía, cuando la verdad es que lo más fino y logrado del arte poético palesiano no tiene nada que ver con tuntunes, tambores, danzas o pieles negras ni de ningún otro color... Sospecho que la poesía negra de Palés es una poesía verdaderamente sincera y entrañada, y no moda o embeleco superficial como algunos de sus gratuitos detractores quisieron imaginar... Los versos negros de Palés son cosa muy enraizada en su propio ser y obedecieron a imperativos de su temperamento... Luis Palés Matos, blanco, fino, civilizado, refinado, es al mismo tiempo un desencantado de la civilización. En esto es fiel a su generación... Parece tener un profundo y radical descontento del hombre, que lo proyecta hasta sí mismo y lo lleva a una especie de autodesprecio. La sofistería que lo civilizado representa sobre lo virgen, lo primitivo, lo ancestral, lo prístino animal del hombre

19

no parece contar con el endoso del Palés poeta ni del Palés hombre... Se transparenta en toda su obra una amplia y vieja tristeza por todo lo que el hombre no ha podido llegar a ser y una constante preocupación por regresar a lo esencial, lo básico, lo rudimentario, lo primordial. Esta atormentada búsqueda de lo esencial y elemental no prostituido explica a mi modo de ver una especie de zoofilia en Luis Palés que lo lleva a asociarse a sí mismo con las bajas formas de vida... ¿A la luz de todo esto, que no puede despacharse como coincidencia, extrañaría la predilección de Luis Palés Matos por lo negro, ya que es en el negro donde más puramente pueden conservarse en la raza humana esos valores esenciales que él persigue? "

He querido hacer la historia de la manera como la poesía de Palés ha sido conocida y juzgada porque creo que esto, bueno siempre, es necesario ahora, cuando por primera vez se publica una edición que contiene, si no toda su obra, muestras suficientes de todas sus épocas y aspectos para que pueda considerarse completa. Cuando un autor de valor seguro se acerca a los sesenta años y tiene detrás cuarenta años de creación, ha llegado el momento de pararse a mirar su obra como algo que pertenece al pasado y por lo mismo tiene segura su permanencia en el porvenir. No quiero decir que haya terminado la capacidad creadora de Palés, puesto que su vida está aún lejos de su terminación; pero lo que escriba de ahora en adelante enriquecerá su poesía con nuevas obras y modalidades (ya que él no es dado a la repetición), pero no hará más que confirmar la perduración de su obra anterior. Esperando que esta edición llegue al público general de habla española y al de los hispanistas de todo el mundo, reuniré ahora para los que no lo sepan lo que aquí en Puerto Rico sabemos del autor, y trataré de establecer brevemente el valor de su obra.

Luis Palés Matos nació en 1898, el año en que Puerto Rico pasó a ser dominio de los Estados Unidos. Aun siendo esta isla tan pequeña es diferente nacer en un sitio u otro, y el lugar de nacimiento de Palés, Guayama, imprime carácter a su persona y a su obra. Guayama es cabeza de una región al sureste de la Isla, aislada del norte por las montañas, que detienen no sólo a la gente sino a las nubes y por eso se caracteriza por su sequedad en cuanto al clima físico y su tradicionalidad y aislamiento en el clima social. Ambos están descritos en la obra de Palés. La lejanía del mundo y la cercanía del mar están también en el alma y la obra de Palés. Hijo de buena familia, aunque de escasos recursos, heredó de sus padres la afición a la literatura y recibió en casa una buena educación. Fue a la escuela; pero como él dijo en una entrevista tuvo muchos maestros: "El gallo de mi casa, la hija de la vecina, el barbero del pueblo, un caballo cosido de lamparones que cruzaba la calle, los domingos aldeanos, y las horas, las horas lentas, vacías y perezosas que marcaba con desgana el reloj de la plaza."

Empezó a escribir muy joven y su primer libro, *Azaleas,* escrito cuando tenía catorce años, fue publicado dos años después en 1915. Siguió escribiendo poesías y a veces prosa, y entretanto se ganaba la vida primero como maestro y luego con una serie de empleos heterogéneos, ninguno de los cuales llegó a ser una profesión. Todo ello muestra la independencia de su carácter, en el que no había más que una cosa definida y fuerte: la necesidad de expresar su vida interior por medio de la creación poética. Esta vocación literaria tan precoz y constante no le llevó tampoco a ser un literato profesional de producción fácil y abundante. Hay una desproporción evidente entre su vida interior y su vida exterior, entre lo que quiere ser y lo que es. Apegado al medio, limitado y local aun dentro de Puerto Rico, sueña con viajes a mundos remotos que nunca realiza fuera de sus lecturas y su creación poética. Desde la adolescencia lee cuanto libro llega a sus manos, y esta mezcolanza de lecturas, señalada por Tomás Blanco y sus demás biógrafos, está en el fondo de su alma y de su obra como elemento formativo de su cultura más que como fuente de imitación directa. La historia de su producción literaria es difícil para los críticos porque era difícil en sí misma. Constantemente después de su primer libro está ensayando modos nuevos que designa con títulos de libros que no llegaron a publicarse, aunque las poesías que los formarían aparecieron en periódicos y revistas. Por 1919-1920 anuncia *El palacio en sombras,* poesías de misterio, amor y muerte, con influencia dominante de Edgar Allan Poe. Por 1925 anuncia *Canciones de la vida media,* rectificación hacia un prosaísmo hondo, irónico y sentimental, poesía "toda desnuda y blanca", que huye de la retórica, pero está "erguida hacia el silencio milenario de la estrella lejana". El contenido y carácter de estos libros en proyecto está claro en la poesía aquí reunida; pero entre ellos dos se anuncian otros títulos cuyo contenido no se ve tan claro, como *El esquife de Jasón* y *El llavero de Barba azul* en verso; *El taller de Benvenuto,* en prosa y verso, y *Memorias de un hombre insignificante,* en prosa, de la que salieron fragmentos. Los poemas de tema negro, que en 1933 iban a ser reunidos en libro con el título *El jardín de Tembandumba,* no aparecieron hasta 1937 con otro título: *Tuntún de pasa y grifería,* libro en el que se incluyeron nueve poesías de sus fases anteriores. En la segunda edición, de 1950, se añadieron tres poesías posteriores. Ahora por primera vez aparece en libro la casi totalidad de su obra.

Esta inseguridad y falta de coordinación entre la composición y la publicación de su obra no nace de dificultades externas sino internas, y se parece mucho a la manera como se publicaron los libros de su contemporáneo el poeta español Federico García Lorca. Para explicar esto en Lorca he escrito algo que se puede aplicar a Palés sin cambiar una palabra: "No es difícil entrever las razones de esta aparente indiferencia hacia la propia obra; que no era tal, sino más bien exigencia de originalidad y perfección, absorción en la obra por crear más que en la ya hecha. Vivía Lorca en una época crítica, en la que todas las artes buscaban la originalidad y la superación por caminos nuevos y difíciles, y Lorca, artista consciente a pesar de su aparente espontaneidad, sentía la necesidad de dar a su arte, de profundas raíces antiguas, plena validez moderna. Era y quería ser hombre de su tiempo, pero sin renunciar a nada de su propio ser, en el que había mucho que le ligaba al pasado y le hacía incompatible con las modas pasajeras del presente. Tenía que evitar al mismo tiempo el aplauso de las mayorías rezagadas y la crítica de las minorías novedosas, que ambas le entendían a medias, y encontrar un camino aparente logrando armonizar con lo nuevo lo nativo milenario que había en él."

El arte de Palés, desde sus principios, es difícil. Preguntado en una entrevista si escribía con facilidad, contestó: "Muy al contrario. Escribir es para mí una de las funciones más penosas." Ya en su primer libro de adolescencia, que está dentro de la poderosa corriente del modernismo más moderno, el de los sonetos de Lugones y Herrera Reissig, está patente el esfuerzo por la busca de la propia expresión. Aunque las influencias son visibles, son diversas y mezcladas, y nunca se resuelven en el calco fácil de la imitación de un modelo. Están allí ya en germen los temas y la maestría en la expresión que van a caracterizar la futura poesía de Palés. Su poesía posterior va a ser una constante afirmación de sí mismo a través de una constante insatisfacción y rectificación. Esta presencia de lo permanente en lo variable es lo que da valor y calidad a su poesía. Sin entrar en un análisis detallado de ella, que en gran parte está ya hecho por lo que se refiere a la fase negra, me limitaré a decir que los valores señalados en ésta se encuentran en el mismo o mayor grado en las otras fases de su poesía. Ha sido difícil apreciarla en conjunto porque se mueve entre extremos: entre el barroquismo y el prosaísmo, la emoción y la ironía, lo espiritual y lo físico, lo soñado y lo real, lo exótico y lo local, todo lo cual es en él uno y lo mismo.

Añadiré solamente unas palabras conducentes a fijar el lugar que Palés ocupa en la poesía de nuestra lengua. Con toda su insularidad puertorriqueña y la limitación de perspectiva en la crítica que le ve solamente por el lado de su poesía negra, diré que la poesía de Palés en conjunto es, con valor propio, una de las más representativas de su época. Al terminar la gran revolución que llamamos "modernismo", de la que nacen, como Palés, todos los poetas de este siglo, empezó una nueva que se ha llamado con muchos nombres o *ismos*, que al historiarla se han agrupado en dos: posmodernismo y ultramodernismo. Los poetas por regla general han seguido una u otra de estas escuelas o tendencias divergentes y contradictorias: los mejores no se han afiliado a ninguna y las han combinado todas en diversas maneras a través de su personalidad. De éstos es Palés muy significadamente.

Cuando antes de la publicación de su libro *Tuntún de pasa y grifería* le incluí en mi *Antología de la poesía española e hispanoamericana* (1934), le definí así: "Las escasas poesías suyas que han visto la luz muestran que es un poeta de verdadero valor. Es un producto del posmodernismo amargo e irónico, que últimamente ha encontrado un camino nuevo en la interpretación, amarga e irónica también, del lado negro del alma antillana." Y di dos poesías, una blanca, "El pozo" y otra negra, "Canción festiva para ser llorada". Ahora, después de conocer toda su poesía, me ratifico en mi juicio y mi selección, dentro de los límites esquemáticos de aquella antología. En una obra más amplia habría que incluir otras poesías de Palés para dar idea de todas sus modalidades; pero las dos citadas contienen lo esencial de toda su poesía y bastan para afirmar el valor idéntico de ella independientemente del color. La definición que hice de él como posmodernista está ampliada por el hecho de que le coloqué en la sección ultramodernista. Palés, como López Velarde, Vallejo, Lorca o Neruda, es las dos cosas al mismo tiempo. Estos poetas impuros, no afiliados a ninguna escuela, son los que por tener más raíces vivas en el pasado contienen más proyecciones hacia el porvenir, aquellos en que lo moderno adquiere valor permanente.

En la poesía de Palés conviven o alternan todas las tendencias posmodernistas, que surgieron como reacción contra el modernismo, y las ultramodernistas, que buscaron su superación. En él hay la vuelta a la intimidad lírica, en los poemas donde expresa los amores, dolores y aspiraciones de su alma, no por sencillos menos metafísicos; la vuelta al romanticismo, en los poemas trascendentales, religiosos, exóticos, donde se mueve en mundos espirituales y misteriosos o en mundos lejanos en el tiempo o en el espacio, como el nórdico, el oriental o el africano; la reacción hacia el prosaísmo sentimental, en los poemas sobre el mar y sus hombres, sobre los aspectos vulgares de la vida ciudadana y la vida campesina, sobre los animales y la naturaleza; y en fin, la reacción hacia la ironía sentimental, que es la forma más honda del posmodernismo, y que se manifiesta en las canciones de la vida media, en muchos de los poemas negros y de diversos modos a través de casi toda la obra de Palés.

Todas estas tendencias unen a Palés con los otros grandes poetas que surgen en América y en España después del modernismo, poco antes o poco después de que Palés empezase a escribir. Se piensa en seguida en Tomás Morales, Luis Carlos López, Rafael Arévalo Martínez, Porfirio Barba Jacob, Fernán Silva Valdés, José María Eguren y otros, que fueron los principales representantes de alguna de esas tendencias. Pero si es seguro que todos ellos habían leído a los mismos autores de la época anterior, españoles y extranjeros, no lo es que se leyeran los unos a los otros, y es más probable que llegasen separadamente a los

mismos caminos. La independencia de Palés se ve además en el hecho
de que la mayoría de los poetas citados pertenecen a una de las
tendencias señaladas mientras que Palés las reúne todas, y ellos se
quedaron en el posmodernismo mientras que Palés desde sus principios está dentro del ultramodernismo, por su barroquismo o
culteranismo ingénito, que le lleva al arte puro de la palabra y de la
imagen, como han señalado todos los críticos y analizado algunos.

Pero su pureza poética no le lleva a la deshumanización y
desrealización totales a que aspiraba el arte nuevo europeo. En
esto, como en todo, Palés es americano y puertorriqueño, por la
razón que he dado en otro sitio[1] donde digo:

"Bien que tous les modes de la poésie de l'époque soient
représentés en Amérique... la nouvelle poésie américaine pursuit
une evolution qui lui est prope et qui présente certains caractères
durables, depuis les derniers modernistes... jusqu'au poètes de nos
jours. Elle n'a pu se détacher du romantisme, comme la poésie
européenne, non par manque de modernité mais parce que l'Amé-
ricain de tous les temps —qu'il ait nom Soeur Jeanne, Rubén
Darío or Neruda— ne peut renoncer à aucun passé, mais à besoin
de l'intégrer au present. Il ne peut pas devantage se détacher de la
réalité, comme la poésie pure, mais a besoin de prendre racine
dans la terre et dans le peuple. C'est pourquoi la meilleure poésie
actuelle peut toujours être qualifiée de nativiste... On a parlé à
tort ou à raison, de la déshumanization de l'art contemporain.
C'est un caractère qui ne peut certainement pas être attribué à la
poésie hispanoaméricaine."

Puerto Rico está por todas partes en la obra de Palés como
fondo de sus transfiguraciones poéticas sobrerrealistas. Está en las
mujeres, los jíbaros, los hombres de mar, los paisajes, los caballos,
los cabros, las vacas, las ranas, Don Antero Aponte, y la otra
gente de su Guayama, sobre la misma tierra, bajo el mismo cielo,

[1] *Anthologie de la poésie ibéro-américaine.* Paris, 1956, p. 29-30.

frente al mismo mar. Y está también —como han probado Tomás Blanco y Margot Arce— en el fondo de su visión del negro, aunque haya en ella —como él mismo ha dicho— mucho de embuste y de cuento, que es otro modo de decir poesía. Sobre este punto tan discutido quiero hacer constar mi opinión expresada lejos de aquí y de estas disputas en el homenaje que el Instituto Hispánico de Nueva York hizo a Palés el 29 de noviembre de 1951, en el que participaron el mexicano Andrés Iduarte y los cubanos José Antonio Portuondo y Eugenio Florit. Puesto que he citado a otros críticos, permítaseme que vuelva a citarme a mí mismo, y que termine con las palabras que dije para cerrar aquel acto.

"¿Qué puedo yo añadir a lo que aquí se ha dicho por tres hombres que a su autoridad como críticos y creadores literarios, en el caso de Florit de pura poesía, unen la de ser todos, incluso Iduarte, el tabasqueño universal, hijos de la misma región cultural americana, el Caribe, a la que pertenece Luis Palés Matos, el gran poeta puertorriqueño en torno al cual nos reunimos hoy? A esta larga pregunta voy a contestar lo más brevemente que pueda, esperando que no desentone después de las suyas mi voz de acento inevitablemente español. Al unísono con todos ellos aunque en tono más contundente diré que he considerado a Luis Palés Matos uno de los mayores poetas hispanos de nuestra época desde que conocí hace más de veinte años algunas poesías suyas, que por no sé qué inexplicable razón no aparecieron en libro hasta 1937, con el título *Tuntún de pasa y grifería,* y el subtítulo *Poemas afroantillanos.* Gran libro por fin, aunque pequeño en el tamaño, pero suficiente por su calidad y originalidad para estar seguros de que la poesía de su autor vivirá siempre. Mi disentimiento español —¿cómo no?— es con el subtítulo. Lo de *afroantillano* tan usado siempre me ha parecido tan inexacto y falso como si se dijera *hispanoantillano.* No hay duda de que el elemen-

27

to humano de raza negra vino originariamente de Africa como el español vino de España y con ellos sus respectivas culturas, que en las Antillas y en otras partes de América se fundieron, como la sangre. Pero un número muy considerable de antillanos, como los que aquí están presentes, carecen sin duda de sangre negra y no son por eso menos antillanos, aunque como vemos son exponentes e intérpretes de la cultura negra antillana como su cultura propia. Lo mismo podrían haber sido en mayor o menor medida de raza negra, como lo son algunos de los poetas llamados afroantillanos, y en este caso diríamos que el más negro de ellos era tan blanco y tan español como nosotros por el hecho de ser antillano. En Puerto Rico y en Cuba puede haber individuos que sean totalmente negros o blancos racialmente; pero no hay nadie que no sea negro y español a la vez culturalmente, es decir, que no sea cubano o puertorriqueño. La cultura de Cuba y Puerto Rico, como toda la de América, no consiste en una mezcla de elementos españoles con negros o indios, que se puedan de alguna manera aislar o separar; consiste en la creación, como resultado de la mezcla, de algo nuevo que ya no es ni negro ni indio ni español y es al mismo tiempo todas estas cosas.

La poesía de Palés Matos es española y es negra, y es, como toda la cultura del Caribe, mucho más, porque el Caribe es el ·punto de confluencia de las otras culturas nórdicas europeas y de la americana de los Estados Unidos. El Caribe es uno de los puntos más cosmopolitas y universales del planeta, y por eso es universal y cosmopolita la poesía de Palés Matos. Y por eso, como se ha dicho aquí, entronca en la poesía clásica española, la de Lope de Vega y Góngora, no porque fueran españoles, sino porque ellos, en la España universal del siglo XVI, en la que también había negros, incorporaron a su poesía los ritmos y el espíritu africanos de manera sorprendentemente igual en su estética a la de los poetas modernos antillanos."

Federico de Onís

28

I

FUEGO INFANTIL

La abuela de los ojos apagados
nos narraba en las noches de velada
lances de caballeros embriagados
de romance, de novias y de espada.

Y cuentos de palacios encantados
por la varilla mágica de una hada...
diabólicos, de monstruos espantados,
divinos, de princesa sonrosada.

Y una noche de rayos y de truenos,
su hueca voz llena de ritmos buenos,
en lenta gradación se iba extinguiendo.

El perro aulló. —¡Tan!— dijo la campana,
una ráfaga entró por la ventana
¡y la abuelita se quedó durmiendo!

CREPUSCULAR

En el recogimiento de la anchura
la tarde hunde su blonda sutileza,
y pone un pensamiento de ternura
y un presagio indecible de tristeza.

Llora sangre el ocaso en la blancura
de la nube lejana, y con pereza
apaga la montaña su figura
borrándose en un éxtasis turquesa.

Solemnizando la quietud cristiana
retiembla sus dolores la campana
en un tono pausado y macilento.

La brisa flébil su querella entabla,
y hay una voz interna que nos habla
de las ruinas vetustas de un convento.

PAISAJE

La tarde gris revuelca evocaciones
de un sabor a crepúsculo doliente.
Huele a humo de paja. Emanaciones
de pesebre saturan el ambiente.

Hay una majestad tersa en el llano
lleno de otoño, invierno y primavera,
y en la placa redonda del pantano
se contempla al revés una palmera.

Ríe un sarcasmo en su onda que se riza
como un bucle de seda y se desliza
canturreando a la orilla un verso sucio;

y bajo de las canas de la tarde,
el ascetismo en nuestros pechos arde
con un arranque digno de Pafnucio.

TIMOCLES

Timocles, el escéptico profundo,
era vampiro de la sombra densa.
Yo le miré a los ojos y vi el mundo
hecho bostezo de frialdad intensa.

Grito de orgullo, fiebre de egoísmo,
sentí... Sangraron todas mis heridas;
Timocles sonrió, me hundí en su abismo,
y soñé las esfinges, sonreídas.

Rugió el león rampante del desierto,
lo estrangulé con formidable acierto
aunque la lucha me dejó sus rastros.

Hurgué dentro de mí: ¡la duda fría!
pero ya estaba fuerte, ya tenía
mi pie de arena y mi cabeza de astros.

IGNORANCIA

Me convertí en pupila indagadora
clavando mi pregunta en el arcano,
a manera de flecha tentadora
lanzada por un arco soberano.

Se anunció Apolo. Fulguró la aurora
llena de pompa y esplendor pagano;
gocé su claridad confortadora,
y hablóme con su trueno el oceano.

Jesucristo, Moisés, Mahoma, Buda,
me sumieron de súbito en la duda
pero seguí con la pregunta, fijo,

y el Todo, al compensar mis ansias locas,
me quiso contestar por tantas bocas
que no pude entender lo que me dijo.

SONETOS DEL CAMPO

I

Vamos sobre caballos que huelen a maleza
rumbo al Carite dulce de don Antero Aponte.
Yo escondo en el camino miradas de tristeza,
y el otro, su aromada sinceridad de monte.

El otro, un hombre magro cuyo genio benigno
con nobles complacencias nuestra bondad escarba;
un jíbaro mohoso, tan pálido y tan digno,
que como un hongo oscuro desarrolla la barba.

Con estatismo unánime y en inmóvil galope
los árboles se obstinan en alcanzar el tope
de una cumbre en que el oro del crepúsculo arde...

¡Por fin! Y mientras bocas a mi entusiasmo abro,
nos saluda la firme tranquilidad de un cabro
que forma el aderezo más noble de la tarde.

II

Aquí la mocedad de la mañana brinda
un jolgorio de risas en copas de cristales,
cuando el pájaro rubio de la campana guinda
su trino en el momento de purezas pascuales.

El domingo luce alma color azul celeste,
y se mesa la barba de una filosofía
apacible, como una vaca sobre la agreste
extensión de los campos, comiendo... Se diría

que la existencia adopta un resbalar de agua
en donde se insinúa el frufrú de una enagua
y un salobre perfume de jíbara sensual.

¡Oh pulcritud divina de la mañana de oro,
que resuena en el alma como verso sonoro
a fuerza de estar lleno de vida tropical!

III

Esta infancia que fluye de las calmas boyales
condimenta un motivo al porqué de la vida.
El alma brinca y vuela sobre los cafetales
y cual voluta de humo va quedando dormida.

Suena un *meee* saludable en el desmayo diurno,
y, emoción absoluta, alza el monte su vaso,
mientras en el ambiente sereno y taciturno
se ahonda una blandura de almohadones de raso.

En cada herida nacen una piedad y aroma
y un amor, cual si fuera una dulzura en broma...
(verde... y un alboroto materno de gallinas)

Comienzan sus dibujos los brujos del pasado,
y un olor penetrante de buen café tostado
convierte en rosa inmensa las tierras campesinas.

IV

YERBA fresca a la hora del orvallo sincero
que remoza los valles y los prados floridos;
olor a yerba fresca, rural y mañanero,
que trepa por los árboles y se mete en los nidos.

Yerba fresca en las crines de los potros robustos
y en el adormilante vaivén de las hamacas;
sabor a yerba fresca en los jíbaros gustos
y en las ubres hinchadas de las bermejas vacas.

Yerba fresca en los pechos de la tierra lozana,
y en la albura de carne que estira la mañana
por la diafanidad joven y cristalina;

yerba fresca en las ondas murmuriosas del río,
en el calor de mota de algodón del bohío,
y en el sobaco tibio de nuestra campesina.

V

Por la resplandeciente soledad del camino
se menea el orgullo majestuoso del toro,
El crepúsculo prende su fuego vespertino
en su ojo, donde late virilidad de oro.

Es una emocionante satisfacción que asciende
sobre el pezón lapídeo de la loma encendida
y un cuadro sugestivo e idolátrico enciende...
¡oh la testuz del toro sobre un florón de vida!

¡Qué inmenso está en su fuerza retadora y pagana
emulando a su abuelo Apis, contra la grana
imperial de la tarde que debilita su hacho!

Muge la vaca joven de amor y lozanía,
Y él echa a correr como lujosa cobardía.
(Antes que para Dios, él nació para macho.)

II

LAS VISIONES

I

Yo había leído a Enrique Sienkiewicz y mi hermana
deshojaba en el piano la canción de las rosas.
El Angelus salía de un dolor de campana
como alado lamento de penas olorosas
a los cedros del Líbano; huía la difusa
decoración plomiza de los ponientes grises,
y en copa de recuerdos escancióme la musa
licores de lejanos y borrosos países.

¿Qué afinidad de notas, o qué literatura
me trajo el Circo y la espiritual blancura
de las vírgenes mártires que frente a los leones
semejaban astrales y líricos florones
de ensueño y fe? Las trompas vibraron su coraje;
cundió por todo el ámbito un silencio salvaje,
y en las gradas lujosas fermentó la alegría
como un brutal vinagre. ¡Oh visión, oh visión

de la mujer desnuda sobre la arena gualda,
vista eróticamente detrás de la esmeralda
del césar asesino Dominicio Nerón!
Sobre la espalda negra y olímpica de un toro
y bajo la vergüenza de los cielos de oro,
Ligia, pálida y única, en el circo romano,
fue el motivo de un cuadro católico y pagano.
Pupilas de batracio de Claudio Dominicio
ironía de Petronio, espanto de Vinicio. . .
¡Qué manjar exquisito para la multitud,
era aquel inefable copón de juventud!

    Pero Ursus avizora. Agarra por los cuernos
al monstruo, hermano de los toros de Vulcano,
y tras el espectáculo de una pugna de infiernos
álzase la victoria como un triunfo cristiano.
Salta Vinicio sobre la criminal arena
y en un himatión áureo envuelve a su adorada,
que parece un crepúsculo divino de azucena
envuelto en un ocaso de sangre coagulada,
y el amor de Rabí Jeschona de Judea
deja en los labios una gota de miel hiblea.

    ¡Ave, César insigne de miradas abstrusas!
por ti sea la lira y te adornen las musas,
pues nos diste la clave de la crueldad humana
dentro de tus alquimias verdes y misteriosas. . .
Yo había leído a Enrique Sienkiewicz, y mi hermana
deshojaba en el piano la canción de las rosas.

II

Iba entre la morusa del bosque de la vida
por un camino lleno de matutino brete.
Trascendía a parrales nuevos, y con su brida
de oro, Helios domaba sus potros, y su foete
relampagueaba al mundo. Era la primavera
que usaba su más franca jovialidad, y era
el hálito candente del próximo verano
llenando todo el orbe de bienestar pagano.

Olía a tierra húmeda, y un claro que se hizo
como en una confusa pesadilla un momento
lúcido, me dejó la visión de su hechizo:
Pan, soñoliento, y contra un tronco milenario,
arrebataba música a un lance temerario
de pasión: era Dafnis, juvenil y violento,
que mordía el pezón de los senos de Cloe,
mientras en la madeja cristalina del viento
se enredaban los hondos suspiros del oboe,
y ante el vaho de carne virginal y desnuda
la cigarra simbólica permanecía muda.

Se envidenciaba el celo de los machos cabríos
y Céfiro, empapado de higos y de resina
de pinos, cosquilleaba sus eróticos bríos
y hacía saltar la lúbrica culebra clandestina.
Por entre la persiana del follaje, el gran templo
de Venus Afrodita proyectaba su ejemplo

de motivo de vida, y en las cercanas lomas
revolaba un celaje matinal de palomas.

Se enmarañó de nuevo la selva resistente,
y toda aquella vista de pagano portento
se disolvió en el viento maravillosamente
como un encantamiento.

Longo y Anacreonte, bucólicos y sabios,
si me dejasteis lágrimas de amarguras eximias,
en cambio me pusisteis un laurel y en los labios
el sabor de las rojas y clásicas vendimias.

FANTASÍA DE LA TARDE

La goleta en el puerto sosegado
es un espectro gris de pesadumbre,
que con largo crujir se balancea
sobre las ondas diáfanas y azules.

Por sus viejos costados van subiendo
las algas verdinegras y las mugres,
y en las horas vacías de la tarde
¡qué romántico tiempo nos descubre!

En los marinos lentos y calmudos
un hastío sin fondo se trasluce,
y ante la paz violenta del ocaso
sus ojos cobran moribundas luces.

Lobos de mar otrora, hoy añorando
los bravos lances piratescos sufren,
y sus almas violentas y salvajes
con modorrosas telarañas cubren.

47

Ya no pueden hacer las fechorías
que encendieron sus mozas juventudes,
pues los años cansinos enmohecieron
el hierro de sus largos arcabuces.

El hacha de abordaje se ha mellado
y en las manos resulta un trasto inútil...
hacha que entre los humos del combate
era un rayo brincando de una nube.

¡Ay, que el tiempo blanqueó las cabelleras,
tatuó los rostros con seniles cruces,
nevó en los corazones un invierno
llenándolo de lánguidos embustes;

puso alcanfor en las musculaturas,
en los huesos reumáticas quejumbres,
en los ánimos oros de poniente
y en las almas crepúsculos de azufre!

¿Qué dirán esos ojos tan enormes
en esta tarde nostalgiosa y dulce,
con sus negras ojeras como surcos
aguardando al dolor que las fecunde?

¿Y esos labios roídos por el viento,
—que hoy es también una corneta fútil—
que en la pasada primavera roja
bebieron sangre en bélicos empujes?

¿Y esos cuerpos pesados y monótonos
como oxidados péndulos de herrumbre?
tictac, tictac, tictac, tictac, tictac,
y en el tictac eterno se consumen.

Las lejanías, hadas tutelares,
que agachaban promesas por costumbre,
hoy a los ojos ávidos y ardientes
como mujeres espantadas huyen.

Lejanías de nieblas y de fríos,
profundas lejanías donde funden
su zafir el oceano y su turquesa
este cielo clorótico de octubre.

Se van rasgando lentas y sin ruido
en la engañosa seda de las nubes,
y a cada desgarrón se abre una puerta
que en un doliente más allá concluye.

Los marineros bajan las pupilas
mientras el sol sus crespas barbas bruñe,
y la tarde se va para los montes
bordando mariposas en las nubes.

Los marineros bajan las pupilas.
Así, sombríos, son como ataúdes
de trompas, de albas rojas, de rugidos,
de hurras y de entrecejos que se fruncen.

Los marineros bajan las pupilas.
Tienen esa obligada mansedumbre,
de los bueyes que van a los pantanos,
a beber agua y a mirarse fúnebres.

MARINA

La mañana de yodo y marisco
desparpaja en el mar su decoro,
y el sol corre en las ondas arisco
como extraño cangrejo de oro.

Se descorre la bruma de encaje
y en un tierno candor espontáneo
todo brilla de amor; el paisaje
tiene algo de edén momentáneo.

La luz pone escozores fugaces
en la espuma, y la espuma se casca
en la arena con furias tenaces,
como pie de mujer que se rasca.

Fluye el día con voz de campana,
y a esa voz evangélica y fresca
se despierta la aldea cristiana
y se lanzan los botes de pesca.

Sobre el mar que a la brega convida
palpitante cual músculo fuerte,
van los botes que llevan la vida
y los botes que llevan la muerte.

Los marinos aspiran el viento
que se estrega en el agua salobre.
Están llenos de ardor y contento
los marinos de barbas de cobre.

Ellos tienen arrobos salvajes,
pasión para los santos queridos,
corazón para los oleajes
y piedad para los desvalidos.

Cuando el cielo iracundias engendra
agregándose al mar que lo sufre,
y rastrea la punzó escolopendra
del relámpago hediondo de azufre.

Ellos sencillamente atrevidos
van por entre los piélagos grises,
y los ámbitos plagian rugidos,
y las aguas reflejan Ulises.

Los domingos de misa, ellos graves,
se arrodillan con sacros desvelos
a rezar las hieráticas claves.
—Padre nuestro que estás en los cielos . . .—

Y si llama a sus puertas alertas
la miseria de algún convecino,
ellos abren sus puertas abiertas
y le dan un buen vaso de vino.

*

Orto azul. Por el mar que convida
a la brega cual músculo fuerte,
van los botes que llevan la vida
y los botes que llevan la muerte.

ESTE OLOR A BREA

Este olor a brea me trae el puerto. . .
Un pueblecillo blondo que se aúpa
sobre el miedo del mar, y a su Patrona
la Señora del Carmen prende velas
en largas rogativas silenciosas,
para que baje el agua de las nubes
en el rojo caliche veraniego,
mientras gira que gira los molinos,
allá en su fondo de cañaverales,
van sorbiendo los jugos de la tierra
como airosos insectos sitibundos.

Este olor a brea me trae el puerto. . .
Casas achaparradas que se amusgan
al bochorno estival, cuando el sol grita
sobre la cobardía de los techos.
Un pueblecillo tierno,
inocentón a fuerza de muchachas

de duras y sabrosas pantorrillas
y de dorados senos
y de caderas audazmente rítmicas
y de ojos entornados porque temen
que se haga noche el día,
y todas ellas puras en su orgullo
de abrileñas comadres prematuras.

Este olor a brea me trae el puerto. . .
Por la mañana claro,
al mediodía moreno
y por la tarde lánguido:
sonrisa, pasión y desmayo.
Tal Arroyo, subido al campanario
de su fe y religión, sonrisa tierna
de ingénita virtud. ¡Oh la mañana
que estira claridades de carne alba
por el azul cristal del cielo limpio!
¡oh la mañana fresca de salitre,
y marinos trajines pescadores,
y suave tintinear de carretillas,
y mugidos de buey y yerba fresca,
y materno cloqueo de gallinas,
y abanico de palma, y gloria de
el sol, como una copa de buen vino
volcándose en el mar, oh la mañana!

Tal Arroyo, en la fuerza sensitiva
de su romanticismo por las tardes,
cuando el día se acumula en el ocaso

y se va yendo tenuemente frágil
Sobre el muaré del mar...
Se humedecen de llanto las campanas,
se humedecen de llanto los rosales,
se humedecen de llanto las palmeras,
se humedecen de llanto las orillas,
se humedecen de llanto las llanuras,
se humedecen de llantos las montañas,
se humedecen de llanto los amores,
se humedecen de llanto los recuerdos,
y todo el pueblecillo se humedece
de llanto como un gran paño de lágrimas
tendido a la piedad de un gran dolor.
¡Oh la tarde en el seno compasivo
del pueblecillo blondo que se aúpa
sobre el miedo del mar!
Este olor a brea me trae el puerto...

LA LLUVIA

Este cielo de lluvia chato, absurdo, sombrío,
da un ocio sensualista a nuestra carne pobre,
que se oxida de sueño, de modorra y de frío
bajo el denso nublado de sulfato de cobre.

La lluvia es un vaga mujer, La lluvia es una
bailarina versátil de insinuantes desvíos...
se desnuda en las nubes y con cuerpo de luna
danza al canto doliente de los grandes hastíos.

El camina la escucha solitario y el mar
ajusta su tonada al extraño cantar;
giran las ruecas raudas en el labriego hogar,
y manos sarmentosas corren sobre el telar.

En la ciudad, la lluvia pica con escozores
carnales, que alucidan cerebrales placeres:
se leen libros perversos de impúdicos autores,
Bocaccio cuenta historias a todas las mujeres.

Es el momento vivo del nervio, es el momento
triunfal. Toda mujer sueña un sátiro cruel,
y seducen aullando los chacales del viento
sobre cuyos pelajes van diablos de placer.

La soñadora pálida crepita interiormente
leyendo; el gato negro que duerme en el sofá,
al rumor de la lluvia despierta, y de repente,
combina un arco mudo de voluptuosidad.

Lluvia, sacerdotisa del tedio, que a so voz
tertulias tanto y tanto que das aburrimiento,
y haces que nuestra carne mendigue hacia el amor
como una pobre hermana ciega de nacimiento...

También en tu implacable canto que todo agobia
traduce el alma el cuento de los mejores días:
la niñez, sol de heno, miel de amor, luz de novia,
que se borraron como viejas calcomanías.

*

Resumen: aguas turbias, rojas calles desiertas,
brumas sobre la hija clara del pensamiento,
y una deshojazón de albas y rosas muertas,
y la paradisíaca claridad del momento.

SALVE PROFANA

PORQUE el dolor te ha puesto
pálida y aguerrida,
y hay bajo tus pestañas,
polvo de lejanía;
porque ante los peligros
eres una heroína,
y salvas los barrancos
como una oveja tímida...
¡Dios te salve, María!

Por la piedad amable
de tu vaga sonrisa;
por el rocío claro
de tus negras pupilas;
por trigo de tus besos
y miel de tus caricias;
por el amor que enciende
tu juventud florida...
¡Dios te salve, María!

Porque tu pie ligero
nácar de concha imita;
porque es tu oreja oriunda
de la almeja marina;
porque es cristal de estrella
tu frente pensativa;
porque eres toda así,
profunda y cristalina...
¡Dios te salve, María!

Porque el camino es largo
y está lleno de espinas,
y tu planta es heroica,
y la noche es sombría;
porque la nieve cae
y estás aún altiva,
por tu altivez de oro...
¡Dios te salve, María!

LA HORA PROPICIA

Cuando estaba pequeña
el tesoro crecía en el silencio
así un ánfora llena de agua limpia.
Mis ojos avarientos
como dos sapos miopes,
saltando diariamente a su riqueza
la colmaban de sombra y de misterio.
La fuerza oscura que oficiaba en ella,
de su inseguro y dócil elemento
extraía la forma preparada
para el noble ejercicio venidero.
Inmóvil, la veía ampliarse toda
hasta el hito materno
de la belleza útil:
cuello, tórax, cartílagos y senos,
en la ampliación definitiva y sólida
que la iba a dar el poderoso imperio.
Yo aguardé noblemente a que la tierra
se hiciese acogedora del secreto,

para iniciar sobre su claustro virgen
el armonioso rito predilecto.

Cuando estuvo ya púber
el tesoro infinito refulgía
con promisora lumbre de quimera
en las pálidas sombras sorprendidas.
La fuerza oscura que oficiaba en ella
la había dejado terminada y lista:
la ojera se colgaba de los ojos
como una negra cifra,
que en el grave minuto de la alcoba
su secreto triunfal revelaría.
Toda resplandeciente y acabada,
y en la austera expresión de sus pupilas,
la firme luz de todo lo adquirido
en el sordo transcurso de los días.

Entonces, yo, en las sombras,
sobre sus carnes inicié la misa,
y en su campo de armiño,
con gesto claro y expresión altiva,
tendí mi mano sembradora y fuerte
cargada de semillas.

ALEGORÍA

El orfebre golpeaba hora tras hora
sobre la piedra de encendida entraña:
un granate opulento
de sangre densa y cálida.
La faceta surgía, recogiendo
la claridad difusa y planetaria
de la noche, como un ojo sombrío
inyectado de cólera satánica.

El orfebre golpeaba hora tras hora.
¿Por qué su idea fija, aquella larga
vigilia noble, aquel golpear constante
sobre la joya virgen y escarlata?
(Gloria, la niña de los rizos de oro,
su beso prometió por esta gracia.)

El orfebre golpeaba hora tras hora.
Al fin, cuando hizo el alba,

la piedra relucía
en el fondo revuelto de la estancia,
como su propio corazón de artista
movido por secretas llamaradas.

Entró la niña de los rizos de oro
a recoger la gema codiciada,
y ante el estrago del trabajo lento
y la fatiga de las horas largas,
tronchó su risa, recogió la joya,
y puso un beso gélido de hermana
sobre unos labios fríos
y una cabeza calva.

EL PECADO VIRTUOSO

DELGADA y fina, te ilumina una
claridad tenue y lírica de luna,
que cae sobre tu cuerpo, plateando
la pierna fácil, el abdomen blando,
y la espalda que es huerto suave y breve
donde el rocío se ha perlado en nieve.

Delgada y fina, así, toda plateada,
la amada es una verdadera amada.
El beso es flor, el tálmo de amores
campo, y por eso está lleno de flores.
La palabra es un pájaro que trina;
la luz se da a alumbrar con fiel recato,
y en la vaga penumbra cristalina
somos, para el pecado, gata y gato...
pero no, que la alcoba perfumada,
sueña con el amado y con la amada,
y sí son esta amada y este amado

un cuento de hada donde no hay pecado;
pero no, porque tiene el dulce arrimo
azúcar de candor y miel de mimo,
aunque discurra por el tibio apego
una corrinete erótica de fuego.
Y así, llegue la noche y nos envuelva,
como a dos niños solos en la selva.

¿Y dónde está el camino? ¿Y la casita
blanca de la pequeña viejecita?
¿Y la aldea cristiana y la campana
cristiana que repica en la mañana?
Nada se vé, mi amor, hemos salido
y en este extraño bosque hemos caído;
pero yo soy el niño que defiende
a la niña del Sátiro y del Duende.

No te apures, mi amor, que ya crepita
la hoguera para el lobo y para el frío.
Echa tu corazón de margarita
que ya en los leños se consume el mío;
y durante la noche estará ardiendo,
tu miedo y tu belleza defendiendo,
hasta que por oriente, que ya dora,
relinchen los corceles de la aurora.

PABELLÓN ROJO

Porque tu carne difunde una vaga
claridad zodiacal y hialina
cuando estás en las sombras desnuda,
seas bendita.

Porque tu cuerpo parece una antorcha
en la alcoba nupcial encendida
para alumbrar las tragedias profundas,
seas bendita.

Porque al contacto del beso resurges
como una fronda de zarza florida
y desgarras con uñas y dientes,
seas bendita.

Porque bajo mis hombros ondulas
como una honda y cálida linfa
y tus brazos arrollan como olas,
seas bendita.

Porque tu carne es la yesca abrasada
por el fuego interior que crepita
en combustiones monstruosas de ansia,
seas bendita.

Porque tu vientre es la tierra fecunda
en donde cuaja la heroica semilla
y eres como un gran predio salvaje,
seas bendita.

Seas bendita porque eres el fuego.
Seas bendita porque eres la linfa.
Seas bendita porque eres la tierra.
¡Seas bendita!

LOS FUNERALES DEL AMOR

Alegoría

EL cielo sucio del creyón, el viento
sugeridor de danzas espectrales;
las montañas monstruosas en la cruda
pesadez de la atmósfera; las calles
sombrías y terribles con sus casas
húmedas y sus hórridos zaguanes,
y con la pesadilla lujuriosa
de sus hombres sanguíneos y carnales.

  Ella estará aburrida
viendo tras los cristales
de su ventana, cómo van cuajando
las sombras de las nubes. El paisaje:
afilados cipreses, tierras blancas,
rocas de cal y caminos de almagre,
se rendirá en un bíblico sosiego,
y la pompa enfermiza de la tarde

perderá el oro vago de sus lustres
en las espesas brumas fantasmales.

Habrá una hilera lila
y en beatitud de tenebrosos frailes,
a cuyos puntiagudos cráneos secos
dará un macabro fósforo la tarde.

Entonces ella sentirá en el alma
congelársele informes claridades,
inmensos candelabros esqueléticos,
cirios gastados como tiernas carnes,
y un leve hedor de rosas putrefactas,
húmedas de rocío y de vinagre.
Después, las blandas tierras removidas,
y el rumor de las palas implacables.
Se tapará los ojos
y una campana doblará en la tarde,
mientras bajo las sombras pensativas
de los cipreses orarán los frailes.

Luego la inanidad, los horizontes
inútiles, las torvas soledades,
afilados cipreses, tierras blancas,
rocas de cal y caminos de almagre,
y una luna sulfúrica y tremenda
toda bañada en sangre.

LAS VOCES SECRETAS

ELLA, como una nieve prematura
caída en el jardín adormecido,
atisbando el ensueño de las rosas
con sus inmensos ojos pensativos.
La luna en la ventana de los tilos.

Ella auscultando en la fontana de oro
una enferma poesía de latidos,
y sellando el final de cada estancia
con mariposa frágil de suspiro.
La luna en la ventana de los tilos.

La fuente, Scherezada de la sombra,
cuenta un áureo episodio de Aladino,
y ella viaja en la góndola de un sueño
hacia las islas de los golfos chinos.
La luna en la ventana de los tilos.

Ella inmediata al éxtasis, evoca
el épico plantaje de un castillo,
y azulmente desfila ante sus ojos
la silueta de un príncipe cautivo.
La luna en la ventana de los tilos.

Y trina el ruiseñor. En las estrellas
se alargan los puñales de los brillos,
y ella siente que dentro de su alma
cada puñal ha traspasado un trino.
La luna en la ventana de los tilos.

Y llora. ¿Por qué llora? Hay un extraño
temblor sobre sus senos encendidos,
que interpreta con cándida malicia
la luna en la ventana de los tilos.

Ella, desnuda ante el espejo, palpa
sus formas y el cordaje de sus líneas,
y retiembla una música de fuego
como si hiriese una vibrante lira.
La luna en la ventana de las lilas.

Ella siente escozores inefables
y adquiere transparencias expresivas,
en la carne que es sal de luz y oro,
y en las ojeras hondas y sombrías.
La luna en la ventana de las lilas.

Ella desata el nudo de sus trenzas,
que resbalando por las carnes tibias,
tienen los silenciosos desperezos
de las serpientes negras y lascivas.
La luna en la ventana de las lilas.

Ella contempla el tálamo de encajes
como un revuelto mar, y repentina
salta como una estrella en las espumas
entre los alborozos de su risa.
La luna en la ventana de las lilas.

Los encajes de seda endurecidos
le burbujean tórridas cosquillas...
ella se vuelve copo, lampo, llama,
y en el silencio de su carne, vibra.
La luna en la ventana de las lilas.

Y pienso: —¡Oh, si estuviera el bien amado,
con qué fuerza su cuerpo abrazaría!—
mientras deshoja pétalos de sueño
la luna en la ventana de las lilas.

*

La luna en la ventana de los tilos.
La luna en la ventana de las lilas.
Y ella, soñando estrangularle a solas,
profundamente se quedó dormida.

73

RETRATO

Manos, dulces vecinas del misal entreabierto;
para la miel del lirio y el huerto del amor.
Manos recién nacidas del sideral injerto.
entre un tallo de luna y un pétalo de sol.

Ojos color de higo maduro: manso puerto
donde arriba el trirreme fugaz de la ilusión,
cuando llegan triunfales por el mar descubierto
los rubios argonautas al mando de Jasón.

Sube tu frágil sombra de seda, taciturna,
frente a un ala de sombra fantástica y nocturna,
pero la primavera te adelanta un abril,

y así, bordada en noche tu figura se salva,
como sacerdotisa dando misa de alba
a la tiniebla ronca que aúlla detrás de ti.

ORFANDAD

Tú sola, larga y blanca, en esta negra hora
en que los hombres quieren callarme el corazón,
llevando tu palabra seguro y redentora
a la noche terrible donde está mi canción.

Tu verbo que está lleno de luz consoladora
riega sobre mi alma su albura de sermón
como una tierna lana pascual, tu verbo ahora
trae el óleo sagrado para mi extremaunción.

Tú sola, larga y blanca, en la inútil aurora,
en el reseco día y en la noche feroz;
tú sola en este mudo desierto donde llora

como un pájaro enfermo mi incomprendida voz,
sosteniendo, obstinada, la ruina soñadora
del castillo en el aire que habita nuestro amor.

DIJO LA VOZ

I

Siento una vejez mansa
y untosa de alcanfor y de alucema.
que pasa por la sombras de mi vida
como una melancólica carreta,
a la hora sutil de la sanguínea
reunión de rosas muertas,
en los parques remotos del ocaso
llenos de contagiosa neurastenia.
Dijo la voz: —¡Espera!

Vejez inofensiva de muralla
mugrienta.
Un moho gris de invierno
sobre el escudo de mi primavera.
Dijo la voz: —¡Espera!

Deseo irme a vivir a una lejana
aldea,
toda blanca de nieve de jazmín
y de luna y estrellas.
A un lado, la montaña
dura, humosa, reseca,
al otro el pasto inmenso:
vacas, cabras y yeguas,
toros, chivos y potros,
en su pagana sociedad de bestias,
y un sol opaco y dulce
que ilumine las cosas de la tierra
remotamente, como si de un largo
horizonte sin límites viniera.
Dijo la voz: —¡Espera!

Y un verdeluz, un verde-
luz de pupilas bravas de culebras,
y un panteísmo fraternal, y una
necesidad cristiana de pradera.
Dijo la voz: —¡Espera!

II

¡Oh, esta tarde de vacas color rosa
me despierta un buey manso en el espíritu,
y en una metempsícosis azul
me pone a comer yerba con las vacas!

77

Sol benigno de miel y luz y pétalo
endulza las praderas amarillas.
Sol largo como mano paternal
sobre el río y el monte y la llanura.
Barbudo sol de lentas sangres tibias,
copa fragante de agua de azahar.
para las erizadas neurastenias;
sol.dulce de la joven tarde pálida.
¡Sol! ¡Sol!

Y el cielo, más allá, dormido en unas
demacradas violetas y naranjas,
en los prados de seda, lejos, lejos,
con una enferma lejanía acaba. . .
y el camino que llega tan cansino
a lamerme los pies y luego sigue
como un humilde perro campesino
a echarse en el batey de los bohíos
y quedarse dormido.
Andariego camino: perro alegre,
que te revuelcas en los campos idos
de la color, y tras las mariposas
corres ebrio de dicha y olfateas
las rosas y los pies del peregrino;
que jadeante bebes en el río,
lo cruzas invisible y zabullido,
sales a la otra orilla y al sol tierno
te sacudes,
y vienes con tu pelo humedecido

a dormir al batey de los bohíos. . .
¡andariego camino!

¡Oh, esta tarde yo siento que mi vida,
hecha de aceros y colores bruscos,
pretende desteñirse quedamente
en un lejano tono de crepúsculo;
en aquella neblina, en aquel humo,
en este olor de establos y de apriscos,
en este suave y vesperal murmullo!

*

Rabí Jeschona, blanco nazareno,
Yo soy buey manso y rubio. . .
vuelve otra vez que quiero echarte encima
y con inofensivo disimulo,
toda la paja que esta tarde núbil
lleva sobre sus hombros de crepúsculo
Jeschona, soy tu buey,
y la voz dijo: —¡Amén!

JÍBARAS

I

Y<small>A</small> tengo el cuatro encoldao
pa dilme a correl los reyes,
dende el barrio de Mameyes
jasta el Carite mentao.
Cuando rasque el seis chorreao
en casa de compae Darío,
le juro pol mi albedrío
y a fe que me ñamo Justo,
que van a bailal de gusto
jasta las piedras del río.

Naiden me pone un pie alante
en estando yo guayao,
el cuatro bien afinao
y una jíbara delante.
Mi bariyero talante
y mi cualta e mascaúra ,

80

me jasen una figura
tan entoná y tan a plomo,
que la hija del mayoldomo
se muere pol mi helmosura.

El compae Fele es testigo,
que si pongo sentimiento,
parese que el estrumento
se pone a lloral conmigo.
Esto, señores, lo digo,
sin ofensas ni temores...
lo saben los ruiseñores
que imitan en su retiro,
el eco de mi sospiro
y el llanto de mis dolores.

Pol eso agualda mi chongo
que tiene la oreja alelta,
y dirá de puelta en puelta
jasta que bote el mondongo.
Ya las banastas le pongo
y el freno, que es un regalo,
como mi chongo no es malo,
antes del anochesío,
llegaré al primel bohío
a rascalme el primel palo.

2

¡Qué triste está mi bohío
dende que la tumba fría,

enguyóse la alegría
del corasonsito mío!
Parese que me ha caío
un yelo de camposanto;
cuando solo me alevanto
y pienso en mi situación,
se me palte el corasón
en camándulas de llanto.

Estoy como sosobrao
en este dolol prefundo.
Ya pa mí se acabó el mundo,
el romo y el seis chorreao.
Mi tiple está arrinconao
como un defunto entumío,
y cuando oigo el cantío
de mi gallo en la malesa,
se me llena la cabesa
con un estraño sumbío.

Toas las cosas se me han vuelto
cundías de desolasión. . .
si me jago reflersión
parese que oigo un muelto.
La tala se me ha cubielto
de puliyas y gusanos;
los maíses están vanos,
pues con esta tumbaera
¡se me ha pasao una cansera
dende los pies a las manos. . .!

¡Ay Vilgen, cómo he quedao
en dispués de brega tánta,
más dolío que una planta
que en el suelo han restregao!
Déjeme, cristiano, el lao,
no me detenga en mi inclino...
que pa estal vano y tonino
yo prefiero en mi quireya,
que me jienda una senteya
a la voltiá del camino.

3

¡Je, je, je! Esa trigueña ñamá niña Paquita
selviría pa un tema en mi cuatro templao,
y pa echaile maís a toas mis gallinas,
y en la noche de reyes bailal el seis chorreao.

En sus ojitos gachos se arreguinda mi alma
y su pelo es más negro que mi café tostao...
¡lástima que esa rola tenga nío en Guayama,
y vuele en los casinos y no en mi soberao!

Jiciérame Dios rico pa casalme con ella,
ya tendría de noche mi bohío pa alumbral
con tós los resplandores de su cuelpo de estrella.

Y asina mesmo como las prinsesas mentás,
ella gobelnaría to el tiempo que quisiera
sin sabel na de naiden, ni naiden sabel na.

III

Y UNA MANO EXTRAÑA

El corro invernal de alegre vejez
se ha puesto a jugar ajedrez.

Es un salón vasto de colores idos;
en los cortinajes y en los muebles viejos
runrunea la muerte con blandos crujidos
y la luna pone capciosos reflejos.
—La ventana abierta, recoge de lejos,
un puñado de astros y un tropel de ruidos—

El corro invernal de alegre vejez
se ha puesto a jugar ajedrez.

Avanzan las piezas serenas y solas...
un alfil temible resbala sesgado;
los caballos trotan haciendo cabriolas
y la Reina atisba un golpe de estado,
mientras el Rey, lleno de torpe abandono,
espera confiado en el trono.

El corro invernal de alegre vejez
se ha puesto a jugar ajedrez.

Hay algo en el juego de infantil diablura:
culebrean, bruscas, las combinaciones,
y en el simbolismo de su miniatura
vuelven a encontrarse los dos batallones.
—Los vinos bermejos llenan de bravura
el antagonismo de maquinaciones—.

Los caballos brincan con salvaje arrojo,
los fieros alfiles atacan el flanco,
y ante la estrategia del batallón rojo
torna a sus dominios de batallón blanco...
más la blanca Reina que el campo recorre
muere bajo el golpe bestial de una torre.

El corro invernal de alegre vejez
se ha puesto a jugar ajedrez.

"¡Jaque al Rey!" Y el pobre, con su corte rota,
huye por el campo bajo su derrota.
Mas rápidamente, con sesgo certero,
un alfil le rinde y hace prisionero.

*

Los viejos aplauden el lance guerrero,
y mientras comentan los sabios pasajes
el viento, medroso, da en los cortinajes,
y una mano extraña recorre el tablero.

UNA MAÑANA DE RABÍ JESCHONA

LA sombra compleja de signos y voces
aullaba su ronca ceguera de alba.

En la concha abierta del cielo de oriente
cuajaba una cruda claridad sonámbula,
y sobre los huertos se hacía temblorosa
como un humo vago que se dilatara
y fuese lustrando los árboles negros
con azul de sueño y oro de soflama.

Los pastores iban a sus pastoreos
con sus largos báculos y sus blondas barbas.
Se hacía propicia la aurora: surgía
el paisaje diáfano contra la montaña
como de un profundo silencio. La noche
pendía de su último clavo de plata,
que se derretía con el fuego oculto
en la lejanía recién trajeada,

y así, iban cayendo los plumajes negros
de los buhos negros que roen la nada.

La sombra compleja de signos y voces
aullaba su ronca ceguera de alba.

Un soplo de Biblia penetró en los montes:
los bueyes, los asnos y ovejas entraban,
y en las siembras de oro sermoneó el trabajo
con la voz del labio único del hacha.
En la aldea curtida a fuerza de risco
de sol y de lluvia, como una bandada
de pájaros locos, rompieron el vuelo
sobre el campanario las viejas campanas.

La sombra compleja de signos y voces
aullaba su ronca ceguera de alba.

Pasó el hombre extraño de la mano mágica
entre los sembrados y las nieblas pálidas
como un largo sobo de luz, y así dijo:

—Hermano poeta que siembra en la nada
trigo de ideal para el hombre nuevo;
hermano cordero que pierdes la lana
en las noches frías; paloma, mi hermana
de la paz; buey, macho frustrado a tu vaca;
asno de las norias y de los caminos;
camello sediento de las caravanas;

débiles hermanos que pasáis la vida
con la ciencia humilde de los que trabajan;
Nietzsche, el negro y rudo canciller de hierro,
Nietzsche, el enemigo de la sangre bárbara
Nietzsche, el matahombres y el violamujeres,
es la razón de este siglo de las trágicas
trompetas de sangre. Sed fuertes, la tierra,
es fuerza de todos y fruto de gracia.
Sed fuertes, hermanos. Más fuertes, tan fuertes,
que vuestros pulmones calcinen las plantas,
y vuestros balidos avienten la noche,
y vuestros ensueños la hagan estrellada.
Sed fuertes, hermanos. Hermano poeta,
hermano camello; paloma, mi hermana—.

Tal dijo, y rascándose contra los peñascos,
la sombra compleja de signos y voces
aullaba su ronca ceguera de alba.

PERO AHORA, MUJER

Como una ola herida, viene a morir mi amor
en tu playa. ¿No sientes su aullido de dolor?
¿no oyes, en la alta noche, el hondo forcejeo
de esta ola que se aúpa crispada de deseo
ante la irreductible y dura fortaleza
que guarda avaramente tu lánguida belleza?
¿no oyes en el silencio de la noche profunda
el hambriento crecer de mi pleamar fecunda?

¡Oh mujer! Toda cosa que para ti se ordena,
tu voluntad dispone, pero de mí está llena.
En todo lo que anheles y en todo lo que añores
allí estoy crepitando, rompiéndome de amores:
en la nube, en la estrella, en el agua tranquila,
hasta en el pensamiento que nubla tu pupila.

Tal vez, tras el ensueño del amor conquistado,
todo se hará ceniza, polvo decepcionado,
como que me han mentido, como que me han robado,

como que en la comedia que se ha representado
cúpome el papel triste del burlador burlado...
Pero ahora, mujer, de ti estoy embriagado
y mi pasión te labra su encendido poema,
pues en tu gracia efímera me siento eternizado
y en tu minuto vivo mi realidad suprema.

TÚ TIENES

Tú tienes el encanto
doméstico y tranquilo
de la mujer en cuyo ensueño flota
la maternal imposición del hijo.
Ave de hogar, esposa,
blanca entre sus tisanas y sus linos;
pisada leve al despuntar el alba;
mano hacendosa del sereno asilo
que impone sus ingenuas disciplinas
en el revuelto amanecer del nido.

¡Oh mujer clara y pulcra!
En ti se ahonda cada día un ritmo
de domesticidad, porque tú eres,
la buena esposa para el buen marido.

YO ADORO

Yo adoro a una mujer meditabunda
de larga y ondulosa cabellera,
que va agrandando el surco de su ojera
con el riego de llanto que la inunda.

Esta blanca sonámbula, ¿qué espera?
¿De qué novela trágica y profunda
ama el protagonista que circunda
de amor su joven alma lastimera?

Yo adoro esta obstinada soñadora.
La realidad en ella se colora
con una novelesca fantasía;

y la adoro sin prisa ni demencia,
con una suave y mística paciencia
¡porque yo sé que nunca será mía!

ASFODELO

Eres como una pálida jarlesa
escandinavamente sensitiva,
que deshoja su alma pensativa
sobre el embuste azul de una promesa.

Tiene un noruego encanto tu belleza
que parece labrada en nieve viva
y surge, espiritual y sugestiva,
bajo un claro de luna de tristeza.

Insondable jarlesa del martirio,
junto a ti cuaja la leyenda un lirio
demacrado de amor y de quimera,

y tus blancos desvelos siderales,
van inmolando lilas espectrales
sobre la hoz sombría de tu ojera.

96

SUS MANOS

MANOS de largos dedos principescos
dignas de hojear, en noches sosegadas,
los crueles episodios novelescos
de las heroicas reinas torturadas.

Manos ebrias de trágicos aromas;
de nieves impasibles y lustrales,
para desollar cuellos de palomas
y teñirse en las sangres imperiales.

Manos por cuyas nieves de clorosis
corre la linfa azul de la neurosis...
Manos que dejan el maligno rastro

de los crímenes negros... Manos para
que un orfebre asesino cincelara
estrangulando un cisne de alabastro.

EVOCACIÓN

Tengo el presentimiento de que tú fuiste mía
en una edad lejana y en una antigua corte.
¿Recuerdas? Tú eras una marquesa... Todavía
tienes fina la pierna y delicado el porte.

La aristocracia entera te rindió vasallaje.
Hubo duelos, tragedias y llantos por tu amor.
¿Recuerdas? Yo era entonces aquel poeta-paje
a quien para reírte, regalaste una flor.

Pero una noche, herida por un ansia secreta,
quisiste en tus jardines que aquel paje-poeta
distrajese tus tedios cantando su amargura,

y resultó un veneno de amor mi melodía,
y crujieron las hojas secas... (Al otro día,
las crónicas galantes narraron la aventura.)

CUANDO YO SEA

Tarde llegó tu blanca góndola a mi ribera
cumpliendo con la cita que te dio mi poesía.
He sido destronado como Luis de Baviera
y el socialismo rojo tronchó mi monarquía.

El reinado era corto y fue larga la espera.
Junto al lago de ensueño te aguardé noche y día.
Emigraron las aves, murió la primavera,
y yo seguí esperando tu barca todavía.

Tarde llegó tu barca. En mi heredad ruinosa
hoy crece una punzante vegetación monstruosa
y los cienos enfermos segaron la laguna.

Aléjate, princesa, de esta patria sombría;
quizás nuestra áurea cita se celebre algún día
cuando yo sea el soberbio monarca de la luna.

ANTIGÜEDAD

Yo soy como un antiguo monarca destronado
a quien el pueblo en ira no supo comprender,
que dejó una leyenda de sangre en el pasado
y ahora se encuentra inútil y viejo y sin poder.

Amar a las mujeres: ese fue mi pecado.
En mi copa los vinos cantaban al placer.
Sobre el metal glorioso de mi blasón dorado
mi orfebre labró un cuerpo desnudo de mujer.

Enfermé en la neurosis del rey Luis de Baviera
hice del trono un tálamo, del cetro una quimera,
y en conquistar la luna puse todo mi afán...

Consultaron los médicos la causa de mis males,
y echado fui cual loco de mis palacios reales
por el sabio dictamen del doctor Calibán.

DILEMA

CONTIGO estoy perdido, contigo estoy salvado.
Eres gozo y tormento, sentencia y redención.
Por ti desciendo al vórtice llameante del pecado,
por ti alcanzo la gracia divina del perdón.

Arcángel o demonio, me tienes condenado
a este vivir de muerte que arrastra el corazón.
Pasas —soplo del cielo— por mi amor angustiado,
y me quemas la sangre como una maldición.

Tu voluntad me ha hecho mendigo o potentado.
Júbilo y desaliento pones en mi canción.
Soy, en tus manos crueles, el burlador burlado,

y en el torvo dilema que afronta mi pasión,
te amo, con el más negro odio desesperado,
te odio, con la más clara y limpia adoración.

DANZARINA AFRICANA

Tu belleza es profunda y confortante
como el ron de Jamaica, tu belleza
tiene la irrevelada fortaleza
del basalto, la brea y el diamante.

Tu danza es como un tósigo abrasante
de los filtros de la naturaleza,
y el deseo te enciende en la cabeza
su pirotecnia roja y detonante.

¡Oh negra densa y bárbara! Tu seno
esconde el salomónico veneno.
Y desatas terribles espirales,

cuando alrededor del macho resistente
te revuelves, porosa y absorbente,
como la arena de tus arenales.

ORACIÓN

Para que haya pan blanco en nuestra mesa
y cada sol realice una promesa.

Para que hoy se renueve lo ayer hecho
y cada noche sea nuevo el lecho.

Para que esté fecunda tu belleza
como tu madre la naturaleza.

Para que lo que siembren nuestras manos
no lo coman orugas ni gusanos.

Para que tu velamen de azucena
se hinche de amor en la sensual faena.

Para que por la concha de tu vientre
una harina de perla se concentre,

y cuaje, tras recóndito amasijo,
en el fruto seráfico del hijo.

Para que haya una sábana de armiño
y un caballo con alas para el niño.

Para que haya una aguja laboriosa
para la mano de la buena esposa.

Para que el hombre en el taller propicio
sobreponga la ciencia de su oficio.

*

Y así, por tu favor y nuestro tino,
florecerá el hogar sobre el camino,
y estará murmurándole al que pasa:
—agua fresca, salud. Esta tu casa—
Señor mío Jesucristo,
Dios y hombre verdadero. Amén.

ESTA NOCHE HE PASADO

Esta noche he pasado por un pueblo de negros.
El caserío inmundo se amontona en un rojo
pegote miserable de andrajos y de ruinas,
y sobre el viento lento cunden ásperos tufos
de lodos y amoniacos, mientras entre la sombra,
los sapos negros croan al fondo de la noche.

Esta noche he pasado por un pueblo de negros.
¡Oh, la curiosidad de esta terrible tribu
de basalto! Los hombres me miran hostilmente,
y en sus ojos de agudas miradas agresivas
arde un fuego africano y bermellón de cólera.

Esta noche he pasado por un pueblo de negros.
El espíritu cafre de las lujurias roncas
y los bruscos silencios huracanados, flota
sobre este barrio oscuro... (Y doy a imaginarme
golpes secos de gongo, gritos, y un crudo canto
lleno de diptongueantes guturaciones náñigas...

Alguna bayadera del Congo estará ahora
destorciendo el elástico baile de la serpiente
dentro de un agrio círculo de brujos y guerreros,
todos llenos de horribles tatuajes, mientras arden
las fogosas resinas, y el fuego, rey del día,
dora la res que se asa sobre tizones rojos.)

¡No! La pompa jocunda de estas tribus ha muerto.
Les queda una remota tristeza cuadrumana,
una pasión ardiente por los bravos alcoholes,
el odio milenario del blanco, y la insaciable
lujuria de las toscas urgencias primitivas.

Ante este pueblo negro y estas casas de podre
y esta raza ya hundida para siempre, yo tengo
la visión de espantosos combustibles: la brea,
el diamante, el carbón, el odio y la montaña...
Esta noche he pasado por un pueblo de negros.

VOZ DE LO SEDENTARIO Y LO MONÓTONO

Días iguales —largos como caras sombrías
de señores que llegan a casa de visita,
y hablan, tiesos, de vagas ciudades destruidas,
de templos demolidos y éxodos de familias.

Días hostiles. Salir de una estéril vigilia
con los ojos hinchados por la bohemia vampira.
Un amargo sabor en la boca y neblina
en el cerebro para pensar sobre la vida.

Ir al correo. Ver gente toda desconocida
que discute la guerra, y jadear de fatiga
ante el automatismo de las posturas rígidas
del doctor, del letrado y del comisionista.

Días... Las calles anchas bajo el sol aturdidas.
El polvo entre las ruedas de coches y tranvías.
Una mujer que pasa perfumada y altiva,
y al fin —¡al fin!— un perro con sarna: poesía.

Y estarse soñoliento sentado en una silla
del café de alcoholes y de negras bebidas,
y estarse, así, con ganas de emigrar... ¡qué fatiga!
¿Cuándo brotará el alba sonora de otro día?

*

Noches de ojo de buho que en la sombra se afila.
Aúllan los perros negros en la montaña lívida,
en las encrucijadas los crímenes meditan
y se abren los prostíbulos y las hoscas garitas.

Alcohol y lujuria. Y la carne crepita.
La carne, ese fermento de manzana podrida.
La soledad absorbe como esponja vacía,
y abajo, un gusaneo de miseria, y arriba...

Insomnio de murciélago de esa poetería
que lleva sobre el pecho una llaga encendida.
Los horas caen aisladas, como gotas letíferas
de filtros que levantan viscosas pesadillas.

Noches de bandoleros y prostitutas tísicas.
Sangra el pulmón enfermo y los pechos se inflan.
Sobre el viento oleoso de las calles sombrías,
la tos se abre como una doliente margarita.

Y estrujar en la cama la neurosis de avispas,
con los nervios crispados cual bruscas sabandijas,
y esperar, en un sueño de alcanfor y fatiga
el canto de la alondra que anuncia el nuevo día.

Iría así, de viaje, por un camino inter-
minable, en un cupé largo, pesado y gris.
Y jadear el cansancio del caballo y tener
la remota visión de un lejano país.

Y mirar las llanuras secas de hojas y cañas,
y el crepúsculo húmedo como una flor postrera,
y sentir la carroña senil de las montañas
en un reflorar tardo de oscura primavera.

¡Oh pueblo gris y opaco! —cittá morta— diría
D'Annunzio. Gente oscura y densa, de sombrías
pasiones. Resolanas inmóviles, y rígidas
tertulias de honorables señores de botica.

¿Pero cómo yo pude vivir aquí? ¿Qué línea
sedentaria y monótona pudo tirar mi vida;
y cómo en esta aldea chata, feroz y esquiva,
pudo nacer la rosa triste de mi poesía?

¡Oh pueblo gris y opaco! Santiago Rusiñol.
(Una calle de cal bajo el terrible fuego
solar. En la botica, conservada en alcohol
una tenia: ¡la única notoriedad del pueblo!)

¡Oh el deleite enfermizo de estar convaleciente
de una larga parálisis en un jardín riente,
y escuchar como una música muy lejana
las voces cariñosas de la madre y la hermana!

¡Estaría tan inmóvil en mi sillón de ruedas!
¡Habría tanta fiesta de sol por la veredas
del jardín, que hasta gracias al Señor le daría
por mis piernas inválidas y mi vida baldía!

Luego viene una amiga de mi hermana a indagar.
—¿Cómo sigue el enfermo? ¿Aún no puede andar?—
Y mi hermana, mirándome con velado temor,
diría lo de siempre: —Hoy se encuentra mejor...

—Hoy me siento mejor, sí—. Yo, con mi ironía
rencorosa de inválido también respondería;
presintiendo que nunca me podré levantar
de mi sillón de ruedas... Un ansia de llorar,

larga, eterna, profunda, me oprime el corazón.
Pero ¡bah! esto no es nada. Doy un brusco empujón
a mi amigo que gusta rodar por las veredas,
y allá voy, como siempre, en mi sillón de ruedas.

IV

EL PALACIO EN SOMBRAS

SI adquiriste la joya milagrosa
este palacio en sombras ya no tiene
secretos para ti. Todo lo sabes
y lo penetras. Al resplandor vago
de la joya que llevas escondida,
las cosas cobran un sentido nuevo
que tú comprendes. Tu morada es esta.
Mira cómo se aprontan en la noche
tantas cosas fraternas, cuyas ansias,
tactean en sus límites inmóviles
por salirte al encuentro, y despojarse
de su rígidos trajes transitorios,
para darte, ¡oh iniciado!, la profunda
substancia del enigma y la tiniebla.

Descálzate confiado y deja el polvo
del mundo, bajo el pórtico primero.
Así estarás mejor, sin ese ruido
torpe, que turba la quietud austera,

en cuya clara ópera tú mismo
escucharás tu corazón. Ahora,
tu vida es nueva lámpara colgada
del árbol sabio de la sombra. Ignoras
qué manantial de luz le dio su aceite
de eternidad. Los negros milenarios
con su torva vendimia de tormentas
soplarán, soplarán sin apagarla.
Ella renueva su esplendor en cada
noche y a cada aurora resplandece
más sabia y viva, porque trae la oculta
ciencia de las tinieblas. La circuye
la grande mole cósmica poblada
de proféticos signos que denuncian
sus enigmas rodantes por la honda
cuenca del infinito: surgen voces
extrañas de misterio, estallan gérmenes
de luz en el granero de la nada,
y se oye el puerperal y sibilino
estertor de las sombras parturientas,
que entreabren sus matrices creadoras
sobre el pañal inmenso de la noche.

Tu vida es nueva lámpara colgada
del árbol sabio de la sombra; en ella
se consume el aliento de otras vidas
que prolongan su ingénito motivo
sobre la forma actual, y perpetúan
la fuerza de su enigma alucinante
en el ser que será. Las existencias

pasadas y futuras, lo que el ego
ha de ser, siempre estuvo en tu substancia,
esperando el momento en que tu carne
fuera un gran vaso de cristal sonoro...

Y ahora te ves rodeado de ti mismo.
Este palacio en sombras ya no tiene
secretos para ti. Todo lo sabes
y lo penetras, silencioso y fuerte,
bajo la resposada luz interna
de la joya que llevas escondida.

LAS FORMAS FUGACES

LA sombra amplía su informe
tizne sobre la ciudad.
Noche de luna. Las calles
se llenan de claridad.
Desde los cielos remotos
mana una luz zodiacal,
y va empapando las cosas
como una agua de azahar.
Llora una flauta misántropa
sobre el motivo de un vals,
y mi alma taciturna
sin querer sigue el compás.
La flauta se va apagando
en la sombra azul, y el vals
se desvance en el viento
como niebla musical.

Esta dejadez unánime
de las cosas, esta paz
ecuménica, rehace
el orden espiritual,
del pensamiento que brota
aliñado y musical
como un verso. Yo estoy solo,
en mi nocturno vagar,
mirando la luna blanca
roída hasta la mitad.
Los gallos cantan, la iglesia
despierta con un tintán
y se llena con la música
de la hora que se va.
Medianoche. En el silencio
sube la blanca espiral
de mis ensueños. Las nubes,
combinan una irreal
arquitectura movible,
que inventa el viento genial.
Ando, y la luna me sigue
siempre en su distancia igual.
Mis pasos suenan rotundos
en la suave soledad,
y algún trasnochado pasa
desenredando ziszás.

Barro mal cocido, barro
sin objeto al caminar,

esta carne de taberna
de alcohol y de lupanar...
Pupilas que ya no ven,
orejas sin escuchar,
nervios quebrados. ¡Oh tierra
estéril de roca y cal!
Donde quiera que me toco
siento que he vivido más:
oreja, nervio, pupila,
redes en la inmensidad;
oreja, nervio, pupila,
sombra que se pone a hablar.

    Cara al cielo. Seré sabio
y ungido por la señal
de la santa cruz del Sur
que se hunde por allá.
Cara a la luna. Mi carne,
será polvo de cristal,
los milenarios sombríos
en su gracia se ungirán.
Cara a la nube. Mi verso,
tendrá la informalidad
de esta nube enorme y blanca
que cae sobre la ciudad.
Cara a la estrella. Tendré
sonda a mi profundidad,
en esta estrella lejana
que ya no existe quizás,

bajo este cielo insinuante
de abstrusa ecuación astral.
Cara a la noche. En la sombra
de geométrico disfraz,
el corazón, monje bueno,
sus oraciones dirá...
a lo largo de las horas
que desnudas danzarán;
en las vigilias hidrófobas
que sus poros secarán;
en la bruja medianoche
de negra pez y alquitrán;
ante el buho del ojo inmóvil
en la torre triangular;
las largas formas nocturnas
en el vapor espectral
del gran sueño de las sombras,
que es como una pleamar
de ondas huecas, sordas, mórbidas,
bajo el influjo lunar;
los epitafios de yeso
sobre las tumbas de cal...
El corazón, monje bueno,
sus oraciones dirá.

De su vago encantamiento
va saliendo la ciudad.
Una luz dorada y húmeda
sobre las cúpulas da.

Los gallos cantan, la iglesia
despierta con un tintán,
y un rumor sordo y confuso
sube de la oscuridad.

BOCA ARRIBA

Estoy boca arriba, al cielo,
que abre una interrogación
geométrica a mi desvelo,
en cada constelación.

Sobre las cumbres enastan
groes raídos las nieblas,
mientras los astros malgastan
sus oros en las tinieblas.

La sombra amplía en disformes
mareas, su nada muda,
llena de huecos enormes
en la gran noche desnuda.

¿Qué oscura correspondencia?,
¿qué acorde molecular
da la clave a mi conciencia
del teorema sideral?

Existo, pero no soy
ya en mí, ni seré quizás,
bajo este cielo de hoy
heterogéneo y total.

Abajo, el aturdimiento
de este polvo individual
que vacila, se va al viento,
y no se junta jamás.

Y arriba, la interrogada
mole sin trazo ni rúa;
la Osa Mayor que en la nada
fuerza una extraña ganzúa,

y el pensamiento que viola
la monstruosa pubertad
de la noche y tornasola
de partos la inmensidad...

En la gimnasia confusa,
la informe ideación interna
brota como una medusa
del hueco de una caverna,

y al contacto misceláneo
que la noche desintegra,
se enciende y derrite el cráneo
como una lámpara negra.

De pronto, un grito que arranca
¿de dónde? Y en él me anego.
¿De dónde? (La luna es blanca
como el ojo de un buho ciego.)

LA DANZA DE LAS HORAS

Danzan las horas inmortales
en un quimérico vaivén,
sobre las puntas musicales
y voladoras de sus pies.

Danzan las horas. Las gobierna
una voluble libertad,
y a cada vuelta de la pierna
cambian el ritmo y el compás.

Esa pesada que equivoca
el paso en cada ondulación
y que tiene abierta la boca,
está haciendo la digestión.

Aquella, efímera y alada,
que se tuerce en una espiral
hacia la luz, está inspirada
y es hondo y grave su cantar.

Esta veloz como la brisa
que se desnuda sin pudor,
rendirá su carne sumisa
en algún tálamo de amor.

Esa que ondula soñolienta
del lecho acaba de saltar,
y tiene la brumosa y lenta
indecisión de su soñar.

¿Y ésta tan frágil y tan leve
que llora sin saber porqué,
y que graciosamente mueve
las blancas conchas de los pies?

¿Y aquella huraña y pelirroja
que gira, bárbara y brutal,
y que en la danza ruda arroja
un agrio perfume carnal?

Las demás pasan vaporosas
sin dejar huella ni impresión...
tránsito azul de mariposas
por el campo del corazón.

Y aquella inmóvil y enlutada,
de una sombría majestad,
es la maligna, la taimada
que trenza el último compás.

Danzan las horas inmortales
en un quimérico vaivén,
sobre las puntas musicales
y voladoras de sus pies.

EL DESTIERRO VOLUNTARIO

Seco ya el odre, frustrado el empeño
agónico el cisne, abolida la amada,
llego hasta ti, montaña sagrada,
a cavarle una fosa al Ensueño.

Séame propicia tu roca que un día
se estremeció con la gracia del canto.
Yo le daré dignidad a mi llanto
para que luzca ejemplar la agonía.

Anacoreta que viene de ignota
Tebaida, sube a tu lóbrego flanco,
con la sandalia ya inútil y rota,
el cuerpo en llagas y el cabello blanco.

Él ha cruzado ciudades en fiesta.
Él ha cruzado por áridos yermos.
Tiene en los labios rumores de orquesta,
y sus angélicos ojos enfermos.

Domó su carne en ayunos y arrobos.
Gozó y sufrió con el género humano.
Nunca en el bosque hizo hoguera a los lobos,
porque los lobos lamieron su mano.

Pero su afán de ser santo y ser bueno
le corroyó como un óxido de oro,
y él agotaba su oculto tesoro
para ponerse tranquilo y sereno.

Él aprendió las hieráticas claves,
y por su blanco silencio interior
tuvo en sus manos las mágicas llaves
que abren en todo pecado un perdón.

Su fe una vara teológica era
para el milagro profundo y divino.
Ella en las bodas cristianas hubiera
multiplicado los panes y el vino.

En su esperanza brilló un signo fuerte.
(¡Oh, Don Quijote, aniñado y huraño!)
Pasó la vida buscando la muerte,
y arre que arre llegó al desengaño.

Su caridad... ¿Pero no díme a todos?
¿Tuvo algún día mi hacienda cercados?
¿En mi gran cena no estaban beodos
todos los hombres por mí convidados?

Quiero purgar ¡oh montaña pagana!
sobre tu roca mi lírico estigma,
bajo la estrella escultora y lejana
que le da al verso su forma y su enigma.

Quizás mis huesos de cal de quimera,
transubstanciados te insuflen la vida,
y un día te duermas estéril y austera
y a la mañana despiertes florida.

Seco ya el odre, frustrado el empeño,
agónico el cisne, abolida la amada,
llegó hasta ti, montaña sagrada,
a cavarle una fosa al Ensueño.

HUMUS

Sube por mis raíces, del fondo de mí mismo,
un vaho oscuro de sueño y de cansancio.
Estoy completamente solo frente a mi abismo...
¡Qué horror, qué aroma rancio!

Detritus de ideales, de pasiones, de anhelos.
¡Qué humus triste, qué fuerzas tan serviles
en las ilusas manos cargadas por los cielos,
y ahora míseras, viles!

¡Hasta dónde llegaste, ser mínimo que un día
creíste claro y límpido el venero!
Antes, rico estanciero,
en tus zonas azules de poesía,
y ahora, de tu propia tristeza, pordiosero.

Buscas tu gran tristeza y encuentras el vacío,
el cansancio del mundo que te pesa

cual fardo que no puede sostener tu cabeza,
globo lleno de humo, de soledad y hastío.

   ¿Y para que seguir? Ya ni siquiera
siento deseos de escribir...
escribir, escribir, sería la manera
de salir
a la luz de una inútil primavera.
¿Será mejor morir?

EL VALOR

¡Oh, esta proximidad al gran secreto y no
descifrarlo! Saber que con alzar la mano
y descorrer un velo, todo queda resuelto.
Que la luz está ahí esperando el momento
de darse, blanca y púber, a tu afán indagante,
como una virgen ante cuya intensa mirada
huyen las sombras que levantaron tus pasos.

Saber que desangraste tu planta en los caminos;
que te nevó la nieve de todos los inviernos;
que vaciaste tu bolsa y agotaste tu fuerza
por llegar hasta ahí. ¡Ahí: la puerta de oro
que se abrirá al ligero empuje de tu mano!

Y después del oculto trajín de tus empeños,
de tus sordas fatigas y tus largos insomnios,
a despecho de tus sudores, de ti mismo,

en el instante en que has de poseerlo todo
volver atrás, serenamente, sobre tus pasos,
con una vaga lumbre de victoria en los labios,

VOCES DEL MAR

I

Pueblo de pescadores

Tierras oscuras, bruma constante, aguas espesas,
y allá el pueblo trepado sobre las rocas como
un cangrejo. Los hombres tienen naturalezas
torvas, bajo el influjo de los cielos de plomo.

El día con molestos resoles verticales
rebota en las techumbres con irritado grito;
el sexo abre sus goces profundos y abismales
bajo la noche hueca como un pozo infinito.

Fermentan las tabernas, el vicio se desborda
como un tonel encima de la embriagada horda
de marinos en largas abstinencias sexuales,

y se oye en el silencio de medrosa calleja
un grito desgarrado de mujer que se queja
en medio de espantosos dolores puerperales

II

Mediodía marin

EL sol, áspero y joven, descompone sus oros
sobre el mar. El paisaje brilla como en un cuento
mitológico, y cunde un vago encantamiento
de hazañas piratescas y chorreantes tesoros.

Yo pienso en los piratas de negra hiel salvaje
que poblaron el agua de episodios sombríos,
y evoco una convulsa tragedia de abordaje
bajo el fulgor siniestro de incendiados navíos.

El mar se achata laxo bajo el sol, una lenta
modorra va ganando la mente soñolienta
que en un vapor oscuro disuelve su emoción...

El paisaje se pone quimérico y lejano,
y se oye sobre el ronco silencio del oceano
un cantar langoroso de inefable atracción.

III

Sugestión del mar

La luna sanguinosa tiembla sobre el inmenso
creyón nocturno, abriendo clarores instantáneos,
y la costa difícil efunde un tufo denso
de cavernas marinas y humores subterráneos.

Abajo, el agua púgil, se descoyunta y raja,
muscular y gimnástica con impulso salvaje,
y la voz del mar tumba como una enorme caja
de truenos sobre el vasto silencio del paisaje.

La voz del mar, la luna sanguinosa, el aliento
viscoso de las aguas ... ¡Horror! ¡Socorro! Siento
que de la sombra llena de voces intranquilas,

surge una masa informe, pesadillesca, cruda,
y en medio de la noche plenilunar y muda
me clava inmóvilmente sus trágicas pupilas.

IV

Los pescadores sueñan

Los pescadores tienen pesadillas monstruosas.
Almas despabiladas en el marino empeño,
cuando duermen, arrojan grandes formas viscosas
por entre las cavernas fantásticas del sueño.

A medianoche escuchan gritos, y se levantan
medrosos. De la luna baja un silencio astral;
el mar se tiende vasto y azul; las aguas cantan;
cunde el retumbo de la armonía sideral . . .

¡Oh mente marinera que a fuerza de morar
lo grandioso, se puebla de monstruos como el mar!
Pescadores que un sueño de negro humor inunda,

pasan la noche en hondos tormentos dilatados
y amanecen ilógicos, sobríos, extraviados,
tal como si brotaran de una inmersión profunda.

KAREDÍN BARBARROJA

ARENALES bermejos, grandes leones de oro,
aridez, transparencia, calma desoladora;
todo el alucinante cuadro de los desiertos,
en una brava síntesis: Karedín Barbarroja.

Karedín Barbarroja, pirata berberisco.
Contra espumas de sangre rebota el bergantín,
mientras sobre el más alto mástil aventurero
flamea la bandera marcial de Karedín.

Y al izarse la vela como un ala sombría
y el capitán corsario dar mando de zarpar,
truena el canto violento de la piratería
que acompaña la lira gigantesca del mar.

¡OH, ESTE HOMBRECILLO!

¡Oh, este hombrecillo turbio, denso, bibliotecario,
que opacamente arrastra sus gruñonas manías,
a través de un oscuro trabajo sedentario
de noches infecundas y de estériles días!

Hundido en sus espesos papeles de notario
cunde su alma de reumas y anticuarias miopías,
mientras un reloj lleno de polvo octogenario
tictaquea sus horas áridas y vacías.

¡Oh, este hombrecillo turbio de reseca figura!
Agua de estanque, negra polilla, rana oscura,
cuya voz está llena de maniáticos dejos ....

En la penumbra eterna de su oficina en crisis,
cualquier día lo encuentran roto de una hemoptisis
sobre el montón inútil de sus papeles viejos.

BIEN VENGAS TÚ

Esta alegría quiere romperme el corazón
¡Qué alegría siniestra, brutal, insoportable!
Golpe interior y fiero que ahoga la emoción
en su cálido aliento de risa abominable.

¡Oh, bien venga la dócil tristeza taciturna
y me tienda en su zona de pensativa luz!
La tristeza tranquila, diligente y nocturna,
que sube por mi alma como un incienso azul.

Bien vengas, tejedora de dolientes quimeras,
con tus ojos azules, tus profundas ojeras,
y tu leve pisada temblando de emoción...

Envuélveme en tus ondas de tenue luz rosada,
y solloza en mi oído con tu voz reposada,
que esta alegría quiere romperme el corazón.

RABÍ JESCHONA DE NAZARET

CALLADAMENTE, profundamente, serenamente,
iba el monarca de las espinas y los abrojos
por las ciudades huracanadas dando a la gente
pan de su ensueño, miel de su vida, luz de sus ojos.

Rey pensativo de los harapos. ¡Oh, caballero
de los silencios interminables sobre los montes!
Pasaba suave como la vaga luz de un lucero,
y ante su paso se desdoblaban los horizontes.

Despreció el oro su azul orgullo de visionario.
Vivió encendido como la brasa de un incensario
y a fuerza de éxtasis se puso mágico y transparente,

y cuando el pueblo bajó hasta el fondo del negro vicio,
este monarca subió a la cumbre del sacrificio
calladamente, profundamente, serenamente.

SOBRE EL RONCO TUMULTO

Sobre el ronco tumulto de las olas del mal
tu mano diestra y ágil conduce mi bajel.
¿Hacia qué blanco puerto de reposo total
me llevas, ¡oh sereno y dulce timonel!?

¿Adónde llegaremos que no suba el clamor
de este negro rebaño sin fe y sin ideal?
¿A qué vago y lejano aprisco sideral
se vuelven tus inquietas pupilas de pastor?

Venciéndome, me diste la más pura victoria:
que luchando contigo se ha llenado de gloria
mi corazón que hoy lava sus podres en tu luz,

y anhela, iluminado de gracia matutina,
ser en el blanco triunfo de esta misa divina
un grano, el más pequeño, de tu incensario azul.

BOCETOS IMPRESIONISTAS

I

Vamos, acróbatas modernos,
sobre trapecio de metáforas
a hacer maromas peligrosas
para que el gran público aplauda.
Saco imágenes del bolsillo
como rosas recién cortadas...
Heme aquí, de pie en el trapecio,
disparado en mecida larga
hacia la flor que no perfuma,
hacia la estrella que no existe,
hacia el pájaro que no canta.

II

Ese árbol seco
comido de lianas y helechos,
es como el viejo zapatero

siempre enredado entre zapatos
que ahora, de repente, recuerdo...
vidas iguales, frías, áridas,
y en torno la llanura
abierta en dilatado bostezo.

III

El buen marido esta mañana
dice a su mujer: —Prepara
las maletas, que voy de viaje—
Ella lo mira de tal modo
que él comprende, lía un cigarrillo,
y lanza una espiral dolorosa de humo.

IV

Ni el tranvía, ni el teatro, ni el cabaret pudieron
extirpar la yerba, los árboles y el agua
que aquel hombre llevaba
en la risa, en el chaleco y en la corbata,
y así aquel hombre era,
una pradera suelta por las calles.

V

Tierra de hambres y saqueos
y de poetas y azucareros...

Antilla perfumada que arrastra
su estómago vacío sobre el agua.
Jaula de loros tropicales
politiqueando entre los árboles.
¡Pobre isla donde yo he nacido!
El yanki, bull-dog negro,
te roe entre sus patas como un hueso.

VI

Tendido boca arriba
me arropo con el cielo
en la noche del trópico
silbante, murmurioso y trompetero.
Tendido boca arriba
en cósmica expansión me voy abriendo
mientras el sueño cierra mis pupilas.
Mas de pronto despierto
con una extraña comezón de mundos,
y miro las estrellas
que como chinches andan por mi cuerpo.

VII

En esta hora quieta
de la bahía ancha,
la tarde es puerto sosegado
de penumbra y de calma...

La noche entra como un gran navío
y arroja sobre el agua
su primera estrella
como un ancla.

A UN AMIGO

Feliz tú que reposas
largamente en la paz del ataúd,
cuando aún no se habían marchitado las rosas
en los rosales de tu juventud!

Cuando sobre tus años iba cuajando una
dulce niebla otoñal,
y se iniciaba un suave crepúsculo de luna
en tu vago jardín espiritual.

Cuando al ardor panida sucedía el sosiego
que llena de una pura claridad la pasión;
cuando se iba apagando todo el mundano fuego,
y se estaba llenando con la mirra de un ruego
el incensario de tu corazón.

¡Feliz tú que te fuiste a la oportuna hora
en que todo lo invade la nostalgia del gris,

por ese mar callado sin noche y sin aurora
con rumbo hacia un ignoto y lejano país!

Duerme tu inalterable sueño, tú que reposas
largamente en la paz del ataúd,
cuando aún no se habían marchitado las rosas
en los rosales de tu juventud.

SAN SABÁS

He aquí un anciano penitente
que se hizo tan primaveral,
que sobre el páramo desierto
plantó su místico rosal,
blanco de ayuno y sacrificio,
y en cuya aldeana ingenuidad
el buen Señor de los humildes
nevó su gracia paternal.

Era muy santo y muy desnudo
en pulcritud de santidad,
y se arropaba con su barba
cuando gruñía la tempestad
y el nubarrón tapaba el cielo;
barba que a fuerza de blanquear
se convirtió, mágicamente,
en amuleto contra el mal
y le envolvía el cuerpo digno
como una inmensa claridad.

149

Vivía echado en una cueva
viscosa como la maldad.
Entre las zarzas y sarmientos
era divino y animal.
La espina hablaba de sus plantas
con un encono singular
santificada. por su sangre.
Las flores nunca a perfumar
llegaron aquel cuerpo dulce
lleno de azul tranquilidad.
Las alimañas venenosas
vivían en su única amistad,
y las tinieblas se le iban
de los ojos cuando iba a orar.

Ningún patriarca del desierto
emulara su castidad.
Hasta en las urbes más remotas
conocíase al santo abad,
pues la fama de sus virtudes
se expandía en el arenal
como el aroma, que a los lirios
arranca la brisa al pasar.

Ni San Teodosio de Antioquí
que no se bañara jamás
para exaltar bajo sus llagas
el recio temple espiritual;
ni San Macario, el buen hermano,
que encontrara en un aguazal

cómodo lecho de perfumes
a su carroña corporal;
ni San Senudi el beduino
de arisca sangre montaraz,
que en el fragor de los saqueos
alzaba la cruz para orar;
ni San Pafnucio de Antinoe
roído de furia sensual,
que combatió con el demonio,
según narra Anatole France;
ni Palemón el ermitaño
cuyo doloroso sayal
era de espinas; ni San Nemo,
dulce pastor de la humildad;
ni Francisco que batió al lobo,
ni Mamerto que hirió al chacal,
en ninguno, en ninguno ardía
la honda llama primaveral
de este varón que florecía
en claras rosas de bondad.

    El milagro de aquella vida
era escuela de santidad.
Sobre la carne atormentada
se abría la pústula fluvial,
donde exhalábase el pecado
del turbio cuerpo terrenal,
como ranura, dando escape
al humor negro de Satán.
Así, en función de sacrificio,

en algidez de castidad,
su carne se iba aligerando
del bajo anhelo mundanal
y ya era cosa de los cielos
el corazón de San Sabás:
¡dulce instrumento que pulsaba
la clara mano angelical!

Abajo, el blondo caserío,
como rebaño matinal.
Ruido sonoro sobre el yunque
¡campana de la Eternidad!
Los hombres yendo a la montaña
y las mujeres a rezar;
los niños todos a sus juegos,
todos los perros a ladrar;
todos los bueyes al arado,
todas las vacas a ordeñar,
todas las aves para el vuelo,
todos los vuelos para el mar,
todos los mares para el viento,
todos los vientos a soplar,
todos los soplos a la vida,
toda la vida ¡a trabajar!
Y sobre todo este alboroto,
desde su cueva colosal,
San Sabás, amplio como un árbol,
dando su sombra paternal.

¡Ah, cuántas veces los leones
se llegaron a descansar
sobre la piedra donde el santo
ponía su cráneo patriarcal,
y por la noche los rugidos
se mezclaron al ventolear!
¡Y cuántas veces los leones,
lamieron su mano lilial,
y bebieron su misma agua,
y comieron su mismo pan!

Así vivía el santo viejo
fuera del ruido mundanal
en su peñón agujereado,
que a su profundo penetrar
se había hecho todo transparente
como una torre de cristal.

Pero una noche de tormenta,
ante el insólito balar
de alguna oveja descarriada,
el corazón de San Sabás
se puso inquieto y tembloroso
en su celeste santidad...
Sobre las zarzas de su cueva,
emergía en la soledad
una mujer: era su hermana
que había quedado en la ciudad
—flor de pecado y de lujuria,
mórbido lis de bacanal—.

El penitente abrió los brazos,
y ella estrechóse sin llorar
contra aquella cruz que se abría
sobre la huraña inmensidad,
y así murió crucificada
en un calvario de bondad.

Luego, las lágrimas del santo,
bañaron la carne venal
y toda ella fue lavada
como en un agua bautismal.

San Sabás le cerró los ojos,
puso en su frente un fraternal
beso de paz, y quedamente
una oración dijo al final...
Despué́s, cerró también sus ojos,
porque quería descansar.

*　　*

*

Rugía el viento en las arenas,
aullaba en la sombra el chacal,
pero en el fondo de la noche
se erguía el peñón colosal
recto, profundo y luminoso,
como una proa espiritual.

V

CANCIONES DE LA VIDA MEDIA

AHORA vamos de nuevo a cantar alma mía;
a cantar sin palabras.
Desnúdate de imágenes y poda extensamente
tus viñas de hojarasca.

No adulteres el mosto que hierve en tus lagares
con esencias extrañas,
y así, te dará un vino sencillo pero puro,
porque es vino de casa.

Anda el viejo camino para que se te vea
la intención noble y clara,
y huye de las retóricas travesuras ingenuas
que inquietaron tu infancia.

Ya eres vieja, alma mía, Árbol que entra en la zona
de la vida mediada.
Como fruta madura te cuelga el sentimiento
de la rama más alta.

Rama de bella fronda que perfumó mi canto,
ahora se ve pelada ...
Para cuajar el fruto tuvieron que caerse
las hojas de la rama.

Así estás, alma mía, en tu grave hora nueva,
toda desnuda y blanca,
erguida hacia el silencio milenario y profundo
de la estrella lejana.

LOS ANIMALES INTERIORES

I

Ese caballo está dentro de mí, ese viejo
caballo que la lluvia —mustio violín— alarga,
igual que sobre un lienzo crepuscular lo miro
proyectarse hacia el vago fondo de mi nostalgia.

A la fábrica en ruinas de su cuerpo la lluvia
se arropa mansamente como una hiedra elástica,
y al caer sosegado de las gotas, derrumba
la frente y las tupidas orejas se le apagan.

Sus patas, sus ollares, el ensueño perdido
que en sus ojos de bestia pura y simple naufraga,
toda esa mansedumbre derrengada y maltrecha,
ese sexo en silencio, esas crines chorreadas,

todo tiene una exangüe repercusión interna,
que la lluvia con blandos bemoles acompaña,

y me veo un caballo fantasmal y remoto
allá en una pluviosa lejanía de alma.

II

Con tu espíritu lleno de viscoso y oscuro
humor, alza los ojos para este día puro,
y verás qué inefable resplandor diligente
va aclarando tus sombras interiores, y cómo
la luz te pone ágil, chispeador, transparente,
y te hace amar la vida con inaudito aplomo.

Ese negro fermento, esa borra sombría,
esa linfa pesada, ese agua saturnal,
esa densa y sulfúrea atmósfera mental,
tendrán una ondulante gracia de manantial
bajo la cristalina sugestión de este día.

Y has de pensar entonces lo profundo que fuera
ser una bestia simple o un insecto cualquiera,
para absorber los jugos vitales y fecundos
y fluir en la cósmica vaharada de los mundos,
o tocado en tu vaga conciencia musical
hacer música bajo la imantación astral.

Entonces, mansamente, sobre el campo armonioso
caerás en un espeso langor somnolentoso,
soñando a pleno sol, bajo la luz bravía,
despertar convertido en asno al otro día.

ELEGÍA DEL SALTIMBANQUI

¡Oh flaco saltimbanqui del circo de la aldea!
Se acabó tu alegría, terminó tu cabriola.
Se ha descubierto el fácil resorte de tus trucos
cuando en el escenario desatas tu maroma.

Ya no asustas a nadie cuando repites esa
caída espeluznante del trapecio a la argolla,
ni cuando sobre el filo del espadón brillante
como un flexible elástico de nervios te desgonzas.

Has perdido la gracia que improvisara antaño
fantásticos deslices, absurdas maniobras;
a fuer de repetirte te has vuelto monorrítmico
y es arte del pasado tu muscular retórica.

Los niños en la calle ya dominan tu ciencia,
y hasta el payaso lento y rollizo mejora
el salto de la muerte con que antaño solías
deleitar a la ingenua congregación absorta.

Contra la carpa blanca del circo, tu figura,
es hoy una andrajienta caricatura estólida,
cuando chupado de hambre pasas meditabundo
igual que un espantajo de miseria y de sombra.

Has caído en desgracia, maromero de circo.
El público, cansado, te exige nuevas formas
y tú estás ya muy viejo para ensayar argucias
que te den el sentido de las últimas modas.

Un día, cualquier día, de un salto desgraciado,
rodarás por el suelo con la cabeza rota,
y esa maroma trágica, desconcertante y muda,
será tu más notable y aplaudida maroma.

OLOR DE TABACO

Es la siesta. Arde el suelo bajo la resolana.
Sube un hervor de gérmenes de la siembra cercana,
y un aroma potente y embriagador se exhala
del monte, de la huerta, del surco y de la tala.

Es un olor tan recio que enerva los sentidos,
circula por la sangre, rompe por los oídos,
pica cáusticamente sobre los labios rojos
y arde sobre los globos oscuros de los ojos.

El Trópico, el gran Trópico caliente y vibrador
vuela sobre la onda profunda de este olor.
Aquí está todo entero: lumbre, color, fragancia,
tierras rojas, sol duro, tremenda exuberancia,
sordas lujurias, negras pasiones que fermentan
y como rosas ásperas y llameantes revientan ...

Todo el bravío espectáculo de luz y de color
palpita, salta, quema desde este denso olor,
que a la hora de la siesta sensualmente se exhala
del monte, de la huerta, del surco y de la tala.

¡AY, SE FUE LA ALDEANA!

¡**A**y, se fue la aldeana! La aldeana
que estuvo ayer en la ciudad de compras,
y que alarmó a los hombres con su traje
áspero, de zarazas estridentes,
y con su risa fresca como el agua
que corre libre y ágil por los campos.

¡Ay, se fue la aldeana! La aldeana
en cuyos ojos, como en prado extenso,
bovinamente pasta la inocencia;
cuyos cabellos huelen a albahaca,
y cuya carne toda cría un vaho
íntimo de pesebre y hortaliza.

¡Ay, se fue la aldeana! Habrá llegado
sofocada tal vez, y la familia
en expectante rueda oye las cosas
estupendas que dice, y siente un vago

165

terror por los distantes
estrépitos urbanos de que habla.

Un sol dócil y largo como el perro
de la casa, le lame los cabellos,
y en anchurosa perspectiva corren
los montes azulados de distancia.

¡Qué horaciana quietud, qué transparente
candor el de las cosas naturales,
recostadas en lánguidas abulias
sobre la inerme calma de las horas!

Y ella siente la paz, la cristalina
paz de las puras gracias familiares;
la paz simple e ingenua que satura
de un doméstico aroma de tisanas
los frugales deberes cotidianos.

Paz de reloj de sol y tinajero;
de mediodía sobre plaza vieja...
Serena paz de calles aldeanas
por donde sólo cruza la gallina,
y cuyo hondo silencio rompe a veces
la ocarina dulzona y soñolienta
de algún amolador que nada amuela.

¡Oh, esa paz! ¡Cómo mi alma en esta hora
va hacia el lueñe paisaje de la aldea,
y ambula por sus calles y rincones
en mangas de camisa y alpargatas!

TOPOGRAFÍA

Esta es la tierra estéril y madrastra
en donde brota el cacto.
Salitral blanquecino que atraviesa
roto de sed el pájaro;
con marismas resecas espaciadas
a extensos intervalos,
y un cielo fijo, inalterable y mudo,
cubriendo todo el ámbito.

El sol calienta en las marismas rojas
el agua como un caldo,
y arranca al arenal caliginoso
un brillo seco y áspero.
La noche cierra pronto y en el lúgubre
silencio rompe el sapo
su grita de agua oculta que las sombras
absorben como tragos.

Miedo. Desolación. Asfixia. Todo
duerme aquí sofocado
bajo la línea muerta que recorta
el ras rígido y firme de los campos.
Algunas cabras amarillas medran
en el rastrojo escaso,
y en la distancia un buey rumia su sueño
turbio de soledad y de cansancio.

Esta es la tierra estéril y madrastra.
Cunde un tufo malsano
de cosa descompuesta en la marisma
por el fuego que baja de lo alto;
fermento tenebroso que en la noche
arroja el fuego fatuo,
y da esas largas formas fantasmales
que se arrastran sin ruido sobre el páramo.

Esta es la tierra donde vine al mundo.
—Mi infancia ha ramoneado
como una cabra arisca por el yermo
rencoroso y misántropo—.
Esta es toda mi historia:
sal, aridez, cansancio,
una vaga tristeza indefinible,
una inmóvil fijeza de pantano,
y un grito, allá en el fondo,
como un hongo terrible y obstinado,
cuajándose entre fofas carnaciones
de inútiles deseos apagados.

169

ESA MUJER

Esa mujer se parece a mi madre.
A mi madre, perdida en la distancia
del pueblo viejo, donde estará ahora
cayendo un agua cadenciosa y mansa.

Esa mujer se parece a mi madre.
Yo siento la onda azul de su mirada
envolviéndome en una cosa tibia
de mansedumbre, de éxtasis, de alma.

A fuerza de sufrir se ha vuelto buena,
a fuerza de llorar se ha vuelto diáfana,
a fuerza de callar se ha vuelto triste,
a fuerza de querer se ha vuelto santa...

Esa mujer se parece a mi madre.
¡Oh, qué deseos tengo de abrazarla
contra mi corazón; ver sus arrugas;

besar la nieve noble de sus canas,
y lavar mis pecados y mis vicios
en el rocío puro de sus lágrimas!

Esa mujer se parece a mi madre.
Transportado, no dejo de mirarla,
sin poder explicarme este momento
sentimental porque mi vida pasa...
A mi madre, perdida en la distancia
del pueblo viejo, donde estará ahora
cayendo un agua cadenciosa y mansa.

PUEBLO

¡Piedad, Señor, piedad para mi pobre pueblo
donde mi pobre gente se morirá de nada!
Aquel viejo notario que se pasa los días
en su mínima y lenta preocupación de rata;
este alcalde adiposo de grande abdomen vacuo
chapoteando en su vida tal como en una salsa;
aquel comercio lento, igual, de hace diez siglos;
estas cabras que triscan el resol de la plaza;
algún mendigo, algún caballo que atraviesa
tiñoso, gris y flaco, por estas calles anchas;
la fría y atrofiante modorra del domingo
jugando en los casinos con billar y barajas;
todo, todo el rebaño tedioso de estas vidas
en este pueblo viejo donde no ocurre nada,
todo esto se muere, se cae, se desmorona,
a fuerza de ser cómodo y de estar a sus anchas.

¡Piedad, Señor, piedad para mi pobre pueblo!
Sobre estas almas simples, desata algún canalla

que contra el agua muerta de sus vidas arroje
la piedra redentora de una insólita hazaña...
Algún ladrón que asalte ese Banco en la noche,
algún Don Juan que viole esa doncella casta,
algún tahur de oficio que se meta en el pueblo
y revuelva estas gentes honorables y mansas.

¡Piedad, Señor, piedad para mi pobre pueblo
donde mi pobre gente se morirá de nada!

EL GALLO

Un botonazo de luz,
luz amarilla, luz roja.
En la contienda, disparo
de plumas luminosas.
Energía engalanada
de la cresta a la cola
—ámbar, oro, terciopelo—
lujo que se deshoja
con heroico silencio
en la gallera estentórea.
Rueda de luz trazada
ante la clueca remolona,
la capa del ala abierta
y tendida en ronda...

Gallo, gallo del trópico.
Pico que destila auroras.

Relámpago congelado.
Paleta luminosa.
¡Ron de plumas que bebe
la Antilla brava y tórrida!

LEPROMONIDA

LEPROMONIDA es reina de vastas tribus rojas
Sobre una calavera tiende la mano rígida.
¡Tened, oh capitanes del agua y de la tierra,
tened un grande y largo miedo a Lepromonida!

Lepromonida vive rodeada de silencio.
Sobre su trono negro un buho gris habita,
y una enorme serpiente luminosa se alarga
en sigilo, a los blancos pies de Lepromonida.

Lepromonida, araña de la sombra, profunda
araña de los sueños y de las pesadillas...
—Incendios, pestes, gritos, narcóticos azules,
venenos, horcas, fetos, muertes: ¡Lepromonida!—

Reina oscura. Un humor lunar y envenenado
circula por sus venas como una extraña linfa.
¡Tened, oh capitanes del agua y de la tierra,
tened un grande y largo miedo a Lepromonida!

KALAHARI

¿POR qué ahora la palabra Kalahari?

El día es hermoso y claro. En la luz bailotean
con ágil gracia, seres luminosos y alegres:
el pájaro, la brizna de hierba, las cantáridas,
y las moscas que en vuelo redondo y embriagado
rebotan contra el limpio cristal de mi ventana.
A veces una nube blanca lo llena todo
con su mole rolliza, hinchada, bombonosa,
y en despliegue adiposo de infladura
es como un imponente pavo real del cielo.

    ¿Por qué ahora la palabra Kalahari?

Anoche estuve de francachela con los amigos,
y derivamos hacia un lupanar absurdo
allá por el sombrío distrito de los muelles...
El agua tenebrosa ponía un vaho crudo
de marisco, y el viento ondulaba premioso

a través de los tufos peculiares del puerto.
En el burdel reían estrepitosamente
las mujeres de bocas pintadas... Sin embargo,
una, inmóvil, callaba; callaba sonreída,
y se dejaba hacer sonreída y callada.
Estaba ebria. Las cosas sucedían distantes.
Recuerdo que alguien dijo —Camella, un trago, un trago.

¿Por qué ahora la palabra Kalahari?

Esta mañana, hojeando un magazín de cromos,
ante un perrillo de aguas con cinta roja al cuello,
estuve largo tiempo observando, observando...
No sé por qué mi pensamiento a la deriva
fondeó en una bahía de claros cocoteros,
con monos, centenares de monos que trenzaban
una desordenada cadena de cabriolas.

¿Por qué ahora la palabra Kalahari?

Ha surgido de pronto, inexplicablemente...
¡Kalahari! ¡Kalahari! ¡Kalahari!
¿De dónde habrá surgido esta palabra
escondida como un insecto en mi memoria;
picada como una mariposa disecada
en la caja de coleópteros de mi memoria,
y ahora viva, insistiendo, revoloteando ciega
contra la luz ofuscadora del recuerdo?
¡Kalahari! ¡Kalahari! ¡Kalahari!

¿Por qué ahora la palabra Kalahari?

EL POZO

Mi alma es como un pozo de agua sorda y profunda
en cuya paz solemne e imperturbable ruedan
los días, apagando sus rumores mundanos
en la quietud que cuajan las oquedades muertas.

Abajo el agua pone su claror de agonía:
irisación morbosa que en las sombras fermenta;
linfas que se coagulan en largos limos negros
y exhalan esta exangüe y azul fosforescencia.

Mi alma es como un pozo. El paisaje dormido
turbiamente en el agua se forma y se dispersa,
y abajo, en lo más hondo, hace tal vez mil años,
una rana misántropa y agazapada sueña.

A veces al influjo lejano de la luna
el pozo adquiere un vago prestigio de leyenda;
se oye el cró-cró profundo de la rana en el agua,
y un remoto sentido de eternidad lo llena.

EL DOLOR DESCONOCIDO

Hoy me he dado a pensar en el dolor lejano
que sentirá mi carne, allá en sus aposentos
y arrabales remotos que se quedan a oscuras
en su mundo de sombras y de instintos espesos.
A veces, de sus roncos altamares ocultos,
de esas inexploradas distancias, vienen ecos
tan vagos, que se pierden como ondas desmayadas
sobre una playa inmóvil de bruma y de silencio.
Son mensajes que llegan desesperadamente
del ignorado fondo de estos dramas secretos:
gritos de auxilio, voces de socorro, gemidos,
cual de un navío enorme que naufraga a lo lejos.

¡Oh esos limbos hundidos en tinieblas cerradas;
esos desconocidos horizontes internos
que subterráneamente se alargan en nosotros
distantes de las zonas de luz del pensamiento!

Quizás las más profundas tragedias interiores,
los más graves sucesos,
pasan en estos mudos arrabales de sombra
sin que llegue a nosotros el más vago lamento,
y tal vez, cuando estamos riendo a carcajadas,
somos el tenebroso escenario grotesco
de ese horrible dolor que no tiene respuesta
y cuya voz inútil se pierde sobre el viento.

NOCTURNO

EL panorama es turbio bajo la luna acuosa
que pone un submarino claror sobre los árboles.
Trasnocho. Por las anchas alamedas en blanco,
no va ni viene nadie.

El silencio es tan hondo y las cosas están
tan sensibles, tan vagas, tan aéreas, tan frágiles,
que si yo diera un grito caerían las estrellas
húmedas sobre el parque.

Hay que estar quieto, quieto, pues cualquier ademán
tendría una alargada repercusión unánime...
—Como una gota densa y profunda, en la noche,
la hora, remota, cae.

CLARO DE LUNA

En la noche de luna, en esta noche
de luna clara y tersa,
mi corazón como una rana oscura
salta sobre la hierba.

¡Qué alegre está mi corazón ahora!
¡Con qué gusto levanta la cabeza
bajo el claro de luna pensativo
esta medrosa rana de tragedia!

Arriba, por los árboles,
las aves blandas sueñan,
y más arriba aún, sobre las nubes,
recién lavadas brillan las estrellas...

¡Ah, que no llegue nunca la mañana!
¡Que se alargue esta lenta
hora de beatitud en que las cosas
adquieren una irrealidad suprema;

y en que mi corazón, como una rana,
se sale de sus ciénagas,
y se va bajo el claro de la luna
en vuelo sideral por las estrellas!

LULLABY

Mi pobre alma aferrada,
sobre su tema viejo
deja que ruede el mundo:
callados horizontes, campos yermos,
tierras de soledad y de agonía
y arenales bermejos.

¡Mi pobre alma aferrada,
sumergida en el sueño!
Mi alma sigue llorando
sobre su tema viejo.

¡Ay, pobre de mi alma
que atraviesa estos yermos,
y que va de puntillas, suavemente,
para no despertar su propio sueño!

Abajo, en las cavernas
llenas de tenebrosos aposentos,

los monstruos del hastío,
los monstruos del hastío están durmiendo...
y ella atraviesa pálida,
como una larga estela de lucero,
estas sombras espesas y cuajadas
de aterrador silencio.

¡Mi alma, mi pobre alma!
Allí están los monstruosos carniceros.
Pasad fugaces, sin tocar apenas
estas tierras malditas de silencio;
del gran silencio verde
que cuaja en las cavernas su humor denso,
y baja de la luna en las tragedias
de naufragios remotos y quiméricos.

¡Mi alma, mi pobre alma!
Sobre su tema viejo,
atraviesa estos campos, suavemente,
para no despertar su propio sueño.

EL SUEÑO

Eʟ sueño es el estado natural. Nuestras vidas.
sólo turban con leves, fugaces movimientos,
ese ras de agua inmóvil perennemente mudo,
muy allá de los límites del espacio y el tiempo.

Nuestra acción se disuelve como una vaga onda.
Todo fina en la oculta voluntad del silencio
cuya oleosa esencia de mutismo circula
por el vasto engranaje vital del universo.

¡Oh tú, que de tu propia realidad alejado
fraguas, laboras, gritas, ridículo muñeco
cuyos brazos inútiles se agitan en la sombra!
—Sólo eres sueño efímero dentro del sueño eterno—.

LAS TORRES BLANCAS

Sueño, bajo la comba de la noche estrellada,
con una ciudad llena de graves torres blancas.
Cada cúpula tiene una aguja de plata
y en cada aguja brilla una estrella ensartada.
Lustra una pulcritud fantasmal y hierática
los mármoles doblados en torsiones extrañas,
y así, fingen las torres remotas una mancha
de cisnes taciturnos que en el azul se bañan.
Clarores boreales del firmamento bajan,
y en la quietud unánime de la ciudad lejana
rueda la luna, colosal y planetaria,
como trineo de oro por las cúpulas altas.
El silencio es antiguo transeúnte que anda
por los puentes aislados y por las calles vagas,
como profeta hirsuto de siderales barbas
que mira con los labios y habla con la mirada.
Afuera, sobre campos de pesadilla, se alzan
arboledas borrosas, y en la atmósfera clara
se mueve vagamente una exótica fauna

de monstruos sublunares de gelatinas diáfanas.
No hay relojes, ni horas, ni días, ni semanas:
el tiempo allí no existe... La eternidad abarca
la vida misteriosa de esta ciudad de fábula,
donde los siglos mueven sus fugitivas alas.
Dragones de cobalto y quimeras de nácar
de las torres polares custodian las entradas,
y la Diosa-Poesía de un cometa escoltada
va por las alamedas desiertas, cabizbaja.
Ella es la moradora serena de esta patria...
De su cuerpo desnudo brotan azules llamas
y sus labios deshojan sibilinas palabras.
—La rige un áureo ritmo de verso cuando anda—
¡Oh miliunanochesca visión! ¡Oh visionaria
tierra astróloga y grave de arquitecturas diáfanas,
hecha bajo el conjuro de una varilla mágica
con flor de espuma y con luz sideralizada!
Bizancio pensativa de la impresión ingrávida;
estrabismo del éxtasis y la pasión romántica;
jazminero de insomnio, perlificación casta
de los mármoles pulcros y de las piedras áureas.
Yo anhelo, en el silencio de la noche estrellada,
cuando las pesadillas de escarabajos bajan
a roerme los sueños, tender mis fuertes alas
hacia la ciudad lúcida de graves torres blancas.

WALHALLA

El reno tira largo sobre la estepa helada.
Detente, caminante de la noche estrellada.
Sobre la landa inmóvil de inmutable blancura
tu trineo recorta su grave mancha oscura,
y hundidos en la niebla, como torvos chacales,
aúllan los terribles vientos septentrionales.

  ¿Qué buscas; qué persiguen tus cálidos antojos?
¿Qué quiméricas Thules vislumbraron tus ojos?
¿Qué palacio remoto quiere cuajar tu empeño
en los vagos dominios de la bruma y el sueño?
Ante ti se levantan las grandes masas crudas
de los hielos prehistóricos, lentos y fantasmales,
sobre cuyas facetas rosadas y desnudas
encienden su oro eléctrico las auroras boreales.

  Pasan los burgos negros en la quietud nocturna,
donde a la tibia atmósfera de crepitantes fuegos,

soñará alguna Svanhild pálida y taciturna
con el rey boreal de los fiordos noruegos.
Pero tú vas impávido, pertinaz y tranquilo...
La noche tiende su arco de estrellas a tu anhelo,
pero tu vas impávido, pertinaz y tranquilo,
capitán de las brumas, emperador del hielo.

Tu canción solitaria de acentos guturales
recorre las llanuras. Suenan cuernos marciales;
rebrillan en las nubes los escudos guerreros;
gritos, hurras, blasfemias, rudo chocar de aceros...
¡El Walhalla! ¡El Walhalla! Los sombríos titanes
hijos de las montañas, nietos de los volcanes,
los colosos del bóreas que en batalla sangrienta,
luchan con sorda brama dentro de la tormenta.

¡El Walhalla! ¡El Walhalla! Tu canción resucita
el recio mito nórdico por la landa infinita,
mientras a tus espaldas, como torvos chacales,
aúllan los terribles vientos septentrionales.

SINFONÍA NÓRDICA

Bosques escandinavos de sombra espesa y blanda,
con el agrio castillo del jarl entre la bruma
y el rumor apagado de la cuerna de caza.
—Otoño: hoja amarilla, vago piano de Schumann—

Lagos donde solloza la náyade taimada
para extraviar al lento burgrave solitario
que entre la niebla, al paso de sus renos, avanza.
—Offenbach: risa de agua, ritornelo de encanto—.

Ruiseñor encantado bajo el claro de luna;
dulce abedul de escarcha vaporoso y lejano
como una vaga forma que se nutre de música.
—Chopin muere en el fondo del noble estradivario—

Bahía groenlandesa. ¡Oh sublunar imperio,
que desdobla boreales extensiones calladas
hacia desconocidos horizontes de sueño!
—La ocarina de Grieg llora en la noche blanca—

192

Danza del duende oblongo sobre la llama roja
del fogaril. Vivaque de guerreros que asan
el jabalí, entre enormes risas aguardentosas.
—Aúlla rabiosamente la trompa wagneriana—

Y de pronto, en la landa silenciosa y dormida
(grandes bosques oscuros, quietas llanuras blancas)
rompe el huracanado tropel de las Walkirias
con rumbo a los remotos confines. del Walhalla.

LA TIERRA DE LOS SUEÑOS

Recreación del poema
"Dreamland" de Edgar
Allan Poe.

Por una senda extraña
frecuentada por ángeles perversos,
bajo el humor maligno de la luna,
más allá de las órbitas y el tiempo,
llego a la Thule humosa,
al tenebroso imperio,
donde un fantasma rígido, la Noche,
reina en un trono milenario y negro.

Valles sin fondo, precipicios, cuevas,
densas vegetaciones, troncos viejos
doblados en torsiones espantables
y húmedos de un espeso
rocío letal, montañas que se adentran
en mares sin orillas y sin ecos,
aguas insomnes y crispadas bajo

cielos torvos y llenos
de cárdenos fulgores, lagos mudos
de aguas que se desdoblan en silencio,
aguas solas y muertas,
quietas y heladas, en cuyos espejos,
rebotan las blancuras espectrales
de los lirios linfáticos y enfermos.

En los lagos que empujan laxamente
sus ondas desmayadas en silencio,
sus tristes ondas muertas,
sus ondas sin orillas y sin ecos
donde rebota la espectral blancura
de los lirios linfáticos y enfermos;
en las montañas, cerca de los ríos
inmóviles y eternos,
en los bosques sin fin, en los pantanos
sordos de limos y batracios negros,
en las charcas malditas
donde residen ogros, en los secos
collados sin rumor bajo el crepúsculo,
el errante viajero
verá, semivelados por la bruma,
memorias y siluetas y recuerdos,
formas blancas de amigos que sollozan
y desaparecieron
sin aparente causa de la vida,
desdibujadas sombras, vagos cuerpos,
que se arrastran gimiendo su agonía
bajo la lumbre cárdena del cielo.

Al corazón en lucha con legiones
de adversarios siniestros
este es paraje de reposo y sueño;
para el alma que yerra en las tinieblas
este es un mágico Eldorado eterno...
Pero el viajero errante que atraviesa
por su callada zona de silencio,
puede que no vea nada con los ojos:
no fueron revelados sus secretos
a la pupila humana, pues su rígido
emperador austero,
ha prohibido que al cruce de estas zonas
se mantengan los párpados abiertos,
y así, el oscuro espíritu que pasa,
contempla humosamente sus misterios,
desdibujados, pálidos, abstrusos,
como hacia el fondo de cristales negros.

Por una senda extraña
frecuentada por ángeles perversos,
bajo el humor maligno de la luna,
más allá de las órbitas y el tiempo,
retorno a casa de la Thule humosa,
del tenebroso imperio,
donde un fantasma rígido, la Noche,
reina en un trono milenario y negro.

VI

PRELUDIO EN BORICUA

Tuntún de pasa y grifería
y otros parejeros tuntunes.
Bochinche de ñañiguería
donde sus cálidos betunes
funde la congada bravía.

Con cacareo de maraca
y sordo gruñido de gongo,
el telón isleño destaca
una aristocracia macaca
a base de funche y mondongo.

Al solemne papalúa haitiano
opone la rumba habanera
sus esguinces de hombro y cadera,
mientras el negrito cubano
doma la mulata cerrera.

De su bachata por las pistas
vuela Cuba, suelto el velamen,
recogiendo en el caderamen
su áureo niágara de turistas.

(Mañana serán accionistas
de cualquier ingenio cañero
y cargarán con el dinero . . .)

Y hacia un rincón —solar, bahía,
malecón o siembra de cañas—
bebe el negro su pena fría
alelado en la melodía
que le sale de las entrañas.

Jamaica, la gorda mandinga,
reduce su lingo a gandinga.
Santo Domingo se endominga
y en cívico gesto imponente
su numen heroico respinga
con cien odas al Presidente.
Con su batea de ajonjolí
y sus blancos ojos de magia
hacia el mercado viene Haití.
Las antillas barloventeras
pasan tremendas desazones;
espantándose los ciclones
con matamoscas de palmeras.

¿Y Puerto Rico? Mi isla ardiente,
para ti todo ha terminado.
En el yermo de un continente,
Puerto Rico, lúgubremente,
bala como cabro estofado.

Tuntún de pasa y grifería,
este libro que va a tus manos
con ingredientes antillanos
compuse un día : ...

... y en resumen, tiempo perdido,
que me acaba en aburrimiento.
Algo entrevisto o presentido,
poco realmente vivido
y mucho de embuste y de cuento.

DANZA NEGRA

Calabó y bambú.
Bambú y calabó.
El Gran Cocoroco dice: tu-cu-tú.
La Gran Cocoroca dice: to-co-tó.
Es el sol de hierro que arde en Tombuctú.
Es la danza negra de Fernando Póo.
El cerdo en el fango gruñe: pru-pru-prú.
El sapo en la charca sueña: cro-cro-cró.
Calabó y bambú.
Bambú y calabó.

Rompen los junjunes en furiosa ú.
Los gongos trepidan con profunda ó.
Es la raza negra que ondulando va
en el ritmo gordo del mariyandá.
Llegan los botucos a la fiesta ya.
Danza que te danza la negra se da.

202

Calabó y bambú.
Bambú y calabó.
El Gran Cocoroco dice: tu-cu-tú.
La Gran Cocoroca dice: to-co-tó.

Pasan tierras rojas, islas de betún:
Haití, Martinıca, Congo, Camerún;
las papiamentosas antillas del ron
y las patualesas islas del volcán,
que en el grave son
del canto se dan.

Calabó y bambú.
Bambú y calabó.
Es el sol de hierro que arde en Tombuctú.
Es la danza negra de Fernando Póo.
El alma africana que vibrando está
en el ritmo gordo del mariyandá.

Calabó y bambú.
Bambú y calabó.
El Gran Cocoroco dice: tu-cu-tú.
La Gran Cocoroca dice: to-co-tó.

ÑAM-ÑAM

Ñam-ñam. En la carne blanca
los dientes negros —ñam-ñam.
Las tijeras de las bocas
sobre los muslos —ñam-ñam.
Van y vienen las quijadas
con sordo ritmo —ñam-ñam.
La feroz noche deglute
bosques y junglas —ñam-ñam.

Ñam-ñam. África mastica
en el silencio —ñam-ñam,
su cena de exploradores
y misioneros —ñam-ñam.
Quien penetró en Tangañica
por vez primera —ñam-ñam;
quien llegó hasta Tembandumba
la gran matriarca —ñam-ñam.

Ñam-ñam. Los fetiches abren
sus bocas negras —ñam-ñam.
En las pupilas del brujo
un solo fulgor —ñam-ñam.
La sangre del sacrificio
embriaga el tótem —ñam-ñam,
y Nigricia es toda dientes
en la tiniebla —ñam-ñam.

Asia sueña su nirvana.
América baila el jazz.
Europa juega y teoriza.
África gruñe: ñam-ñam.

NUMEN

Jungla africana.—Tembandumba.
Manigua haitiana —Macandal.

Al bravo ritmo del candombe
despierta el tótem ancestral:
pantera, antílope, elefante,
sierpe, hipopótamo, caimán.
En el silencio de la selva
bate el tambor sacramental,
y el negro baila poseído
de la gran bestia original.

Jungla africana —Tembandumba.
Manigua haitiana —Macandal.

Toda en atizo de fogatas,
bruja cazuela tropical,
cuece la noche mayombera
el negro embó de Obatalá.

Cuajos de sombra se derriten
sobre la llama roja y dan
en grillo y rana su sofrito
de ardida fauna nocturnal.

Jungla africana —Tembandumba.
Manigua haitiana —Macandal.

Es la Nigricia. Baila el negro.
Baila el negro en la soledad.
Atravesando inmensidades
sobre el candombe su alma va
al limbo oscuro donde impera
la negra fórmula esencial.
Dale su fuerza el hipopótamo,
coraza bríndale el caimán,
le da sigilo la serpiente,
el antílope agilidad,
y el elefante poderoso
rompiendo selvas al pasar,
le abre camino hacia el profundo
y eterno numen ancestral.

Jungla africana —Tembandumba.
Manigua haitiana —Macandal.

LAMENTO

Sombra blanca en el baquiné
tiene changó, tiene vodú.
Cuando pasa por el bembé
daña el quimbombó, daña el calalú.

Al jueguito va su zombí
derribando el senseribó,
y no puede el carabalí
ñañiguear ante Ecué y Changó . . .
¡Oh, papá Abasí!
¡Oh, papá Bocó!

En la macumba siempre está;
en el candombe se la ve,
y cuando a la calenda va
contra su ñeque no puede na
ni el infundio del Chitomé
ni el muñanga del Papalúa.

Sombra blanca que el negro ve
sin aviso del Gran Jujú,
dondequiera que pone el pie
suelta el mana de su fufú.

Hombre negro triste se ve
desde Habana hasta Zimbambué,
desde Angola hasta Kanembú
hombre negro triste se ve...
Ya no baila su tu-cu-tú,
al —adombe gangá mondé—

FALSA CANCIÓN DE BAQUINÉ

¡OHÉ, nené!
¡Ohé, nené!
Adombe gangá mondé,
Adombe.
Candombe del baquiné,
Candombe.

Vedlo aquí dormido,
Ju-jú.
Todo está dormido,
Ju-jú.
¿Quién lo habrá dormido?
Ju-jú.
Babilongo ha sido,
Ju-jú.
Ya no tiene oído,
Ju-jú.
Ya no tiene oído . . .

Pero que ahora verá la playa.
Pero que ahora verá el palmar.
Pero que ahora ante el fuego grande
con Tembandumba podrá bailar.

Y a la Guinea su zombí vuelva ..
—Coquí, cocó, cucú, cacá—
Bombo el gran mongo bajo la selva
su tierno paso conducirá.
Ni sombra blanca sobre la hierba
ni brujo negro lo estorbará.
Bombo el gran mongo bajo la selva
su tierno paso conducirá.
Contra el hechizo de mala hembra
cocomacaco duro tendrá.
Bombo el gran mongo bajo la selva
su tierno paso conducirá.
—Coquí, cocó, cucú, cacá—

Para librarle de asechanza
colgadle un rabo de alacrán.
Será invencible en guerra y danza
si bebe orines de caimán.

En la manteca de serpiente
magia hallará su corazón.
Conseguirá mujer ardiente
con cagarruta de cabrón.

A papá Ogún va nuestra ofrenda,
para que su arrojo le dé

al son del gongo en la calenda
con que cerramos el baquiné.

Papá Ogún, dios de la guerra,
que tiene botas con betún
y cuando anda tiembla la tierra ...
Papá Ogún ¡ay! papá Ogún.

Papá Ogún, mongo implacable,
que resplandece en el vodú
con sus espuelas y su sable ...
Papá Ogún ¡ay! papá Ogún.

Papá Ogún, quiere mi niño,
ser un guerrero como tú;
dale gracia, dale cariño ...
Papá Ogún ¡ay! papá Ogún.

Ahora comamos carne blanca
con la licencia de su mercé.
Ahora comamos carne blanca ...

¡Ohé, nené!
¡Ohé, nené!
Adombe gangá mondé,
Adombe.
Candombe del baquiné,
¡Candombe!

BOMBO

La bomba dice: —¡Tombuctú!
Cruzan las sombras ante el fuego.
Arde la pata de hipopótamo
en el balele de los negros.
Sobre la danza Bombo rueda
su ojo amarillo y soñoliento,
y el bembe de ídolo africano
le cae en cuajo sobre el pecho.
¡Bombo del Congo, mongo máximo,
Bombo del Congo está contento!

Allá en la jungla de mandinga
—Baobab, calaba y cocotero—
bajo el conjuro de los brujos
brota el terrible tótem negro,
mitad caimán y mitad sapo,
mitad gorila y mitad cerdo.
¡Bombo del Congo, mongo máximo,
Bombo del Congo está contento!

El es el numen fabuloso
cuyo poder no tiene término.
A su redor traza Nigricia
danzantes círculos guerreros.
Mongos, botucos y alimamis
ante Él se doblan en silencio,
y hasta el ju-jú de las cavernas
en tenebrosas magias diestro,
tiembla de miedo ante sus untos
cuando su voz truena en el trueno.
¡Bombo del Congo, mongo máximo,
Bombo del Congo está contento!

¡Feliz quien bebe del pantano
donde Él sumerge su trasero!
Contra ése nada podrá el llanto
engañoso del caimán negro.
Bajo su maza formidable
todo rival caerá deshecho;
podrá dormirse en pleno bosque
a todo ruin cuidado ajeno,
y el hipopótamo y la luna
respetarán su grave sueño.
¡Bombo del Congo, mongo máximo,
Bombo del Congo está contento!

Venid, hermanos, al balele.
Bailad la danza del dios negro
alrededor de la fogata
donde arde el blanco prisionero.

Que la doncella más hermosa
rasgue su carne y abra el sexo,
para que pase, fecundándola,
el más viril de los guerreros.

Venid, hermanos, al balele.
La selva entera está rugiendo.
Esta es la noche de mandinga
donde se forma un mundo nuevo.
Duerme el caimán, duerme la luna,
todo enemigo está durmiendo...
Somos los reyes de la tierra
que a Bombo, el dios, sólo tememos.

Venid, hermanos, al balele.
Crucen las sombras ante el fuego,
arda la pata de hipopótamo,
resuene el gongo en el silencio...
¡Bombo del Congo, mongo máximo,
Bombo del Congo está contento!

CANDOMBE

Los negros bailan, bailan, bailan,
ante la fogata encendida.
Tum-cutum, tum-cutum,
ante la fogata encendida.

Bajo el cocal, junto al oleaje,
dientes feroces de lascivia,
cuerpos de fango y de melaza,
senos colgantes, vaho de axilas,
y ojos de brillos tenebrosos
que el gongo profundo encandila.
Bailan los negros en la noche
ante la fogata encendida.
Tum-cutum, tum-cutum,
ante la fogata encendida.

¿Quién es el cacique más fuerte?
¿Cuál es la doncella más fina?

¿Dónde duerme el caimán más fiero?
¿Qué hechizo ha matado a Babissa?
Bailan los negros sudorosos
ante la fogata encendida.
Tum-cutum, tum-cutum,
en la soledad de la isla.

La luna es tortuga de plata
nadando en la noche tranquila.
¿Cuál será el pescador osado
que a su red la traiga prendida:
Sokola, Babiro, Bombassa,
Yombofré, Bulón o Babissa?
Tum-cutum, tum-cutum,
ante la fogata encendida.

Mirad la luna, el pez de plata,
la vieja tortuga maligna
echando al agua de la noche
su jugo que aduerme y hechiza ...
Coged la luna, coged la luna,
traedla a un anzuelo prendida.
Bailan los negros en la noche
ante la fogata encendida.
Tum-cutum, tum-cutum,
ante la fogata encendida.

Tenemos el diente del dingo,
Gran Abuelo del Gran Babissa;

tenemos el diente del dingo
y una uña de lagartija . . .
contra todo mal ellos pueden,
de todo mal nos inmunizan.
Tenemos el diente del dingo
y una uña de lagartija.

Manasa, Cumbalo, Bilongo,
pescad esa luna podrida
que nos envenena la noche
con su hedionda luz amarilla.
Pescad la luna, pescad la luna,
el monstruo pálido que hechiza
nuestra caza y nuestras mujeres
en la soledad de la isla.
Tum-cutum, tum-cutum,
ante la fogata encendida.

Negros bravos de los palmares,
venid, que os espera Babissa,
el Gran Rey del Caimán y el Coco,
ante la fogata encendida.
Tum-cutum, tum-cutum,
ante la fogata encendida.

MAJESTAD NEGRA

Por la encendida calle antillana
va Tembandumba de la Qumbamba
—Rumba, macumba, candombe, bámbula—
entre dos filas de negras caras.
Ante ella un congo —gongo y maraca—
ritma una conga bomba que bamba.

Culipandeando la Reina avanza,
y de su inmensa grupa resbalan
meneos cachondos que el gongo cuaja
en ríos de azúcar y de melaza.
Prieto trapiche de sensual zafra,
el caderamen, masa con masa,
exprime ritmos, suda que sangra,
y la molienda culmina en danza.

Por la encendida calle antillana
va Tembandumba de la Quimbamba.

Flor de Tortola, rosa de Uganda,
por ti crepitan bombas y bámbulas;
por ti en calendas desenfrenadas
quema la Antilla su sangre ñáñiga.
Haití te ofrece sus calabazas;
fogosos rones te da Jamaica;
Cuba te dice: ¡dale, mulata!
Y Puerto Rico: ¡melao, melamba!

   ¡Sús, mis cocolos de negras caras!
Tronad, tambores; vibrad, maracas.
Por la encendida calle antillana
—Rumba, macumba, candombe, bámbula—
va Tembandumba de la Quimbamba.

LAGARTO VERDE

EL Condesito de la Limonada,
juguetón, pequeñín... Una monada
rodando, pequeñín y juguetón,
por los salones de Cristobalón.
Su alegre rostro de tití
a todos dice: —Sí.
—Sí, Madame Cafolé, Monsieur Haití,
por allí, por aquí.

Mientras los aristócratas macacos
pasan armados de cocomacacos
solemnemente negros de nobleza,
el Conde, pequeñín y juguetón,
es un fluído de delicadeza
que llena de finuras el salón.

—Sí, Madame Cafolé, Monsieur Haití,
por allí, por aquí—
Vedle en el rigodón,

miradle en el minué...
Nadie en la Corte de Cristobalón
lleva con tanta gracia el casacón
ni con tanto donaire mueve el pie.
Su fórmula social es: ¡oh, pardón!
Su palabra elegante: ¡volupté!

¡Ah, pero ante Su Alteza
jamás oséis decir lagarto verde,
pues perdiendo al instante la cabeza
todo el fino aristócrata se pierde!

Y allá va el Conde de la Limonada,
con la roja casaca alborotada
y la fiera quijada
rígida en epiléptica tensión...
Allá va, entre grotescos ademanes,
multiplicando los orangutanes
en los espejos de Cristobalón.

ELEGÍA DEL DUQUE DE LA MERMELADA

¡Oh mi fino, mi melado Duque de la Mermelada!
¿Dónde están tus caimanes en el lejano aduar del Pongo,
y la sombra azul y redonda de tus baobabs africanos,
y tus quince mujeres olorosas a selva y a fango?

Ya no comerás el suculento asado de niño,
ni el mono familiar, a la siesta, te matará los piojos,
ni tu ojo dulce rastreará el paso de la jirafa afeminada
a través del silencio plano y caliente de las sabanas.

Se acabaron tus noches con su suelta cabellera de fo-
                                              [gatas
y su gotear soñoliento y perenne de tamboriles,
en cuyo fondo te ibas hundiendo como en un lodo tibio
hasta llegar a las márgenes últimas de tu gran bisabuelo.

Ahora, en el molde vistoso de tu casaca francesa,
pasas azucarado de saludos como un cortesano cualquiera,

a despecho de tus pies que desde sus botas ducales
te gritan: —Babilongo, súbete por las cornisas del pala-
[cio—

¡Qué gentil va mi Duque con la Madama de Cafolé,
todo afelpado y pulcro en la onda azul de los violines,
conteniendo las manos que desde sus guantes de aristó-
[crata
le gritan: —Babilongo, derríbala sobre ese canapé de
[rosa!—

Desde las márgenes últimas de tu gran bisabuelo,
a través del silencio plano y caliente de las sabanas,
¿por qué lloran tus caimanes en el lejano aduar del Pongo,
¡oh mi fino, mi melado Duque de la Mermelada!?

PUEBLO NEGRO

Esta noche me obsede la remota
visión de un pueblo negro...
—Mussumba, Tombuctú, Farafangana—
es un pueblo de sueño,
tumbado allá en mis brumas interiores
a la sombra de claros cocoteros.

La luz rabiosa cae
en duros ocres sobre el campo extenso.
Humean, rojas de calor, las piedras,
y la humedad del árbol corpulento
evapora frescuras vegetales
en el agrio crisol del clima seco.

Pereza y laxitud. Los aguazales
cuajan un vaho amoniacal y denso.
El compacto hipopótamo se hunde
en su caldo de lodo suculento,

y el elefante de marfil y grasa
rumia bajo el baobab su vago sueño.

Allá entre las palmeras
está tendido el pueblo...
—Mussumba, Tombuctú, Farafangana—
Caserío irreal de paz y sueño.

Alguien disuelve perezosamente
un canto monorrítmico en el viento,
pululado de úes que se aquietan
en balsas de diptongos soñolientos,
y de guturaciones alargadas
que dan un don de lejanía al verso.

Es la negra que canta
su sobria vida de animal doméstico;
la negra de las zonas soleadas
que huele a tierra, a salvajina, a sexo.
Es la negra que canta,
y su canto sensual se va extendiendo
como una clara atmósfera de dicha
bajo la sombra de los cocoteros.

Al rumor de su canto
todo se va extinguiendo,
y sólo queda en mi alma
la ú profunda del diptongo fiero,
en cuya curva maternal se esconde
la armonía prolífica del sexo.

TEN CON TEN

Estás, en pirata y negro,
mi isla verde estilizada,
el negro te da la sombra,
te da la línea el pirata.
Tambor y arcabuz a un tiempo
tu morena gloria exaltan,
con rojas flores de pólvora
y bravos ritmos de bámbula.

Cuando el huracán desdobla
su fiero acordeón de ráfagas,
en la punta de los pies
—ágil bayadera— danzas
sobre la alfombra del mar
con fina pierna de palmas.

Podrías ir de mantilla,
si tu ardiente sangre ñáñiga

227

no trocara por madrás
la leve espuma de España.

Podrías lucir, esbelta,
sobriedad de línea clásica,
si tu sol, a fuerza de oro,
no madurase tus ánforas
dilatando sus contornos
en amplitud de tinaja.

Pasarías ante el mundo
por civil y ciudadana,
si tu axila —flor de sombra—
no difundiera en las plazas
el rugiente cebollín
que sofríen tus entrañas.

Y así estás, mi verde antilla,
en un sí es que no es de raza,
en ten con ten de abolengo
que te hace tan antillana...
Al ritmo de los tambores
tu lindo ten con ten bailas,
una mitad española
y otra mitad africana.

INTERMEDIOS DEL HOMBRE BLANCO

Islas

Las tierras del patois y el papiamento.
Acordeón con sordina de palmeras.
Azul profundidad de mar y cielo,
donde las islas quedan más aisladas.

Acordeón en la tarde.
Fluir perenne en soledad sin cauce.
Horizontal disolución de ideas,
en la melaza de los cantos negros.

Emoción de vacío,
con el trapiche abandonado al fondo,
y el cocolo bogando en su cachimbo
quién sabe hacia qué vago fondeadero.

Y en la terraza del hotel sin nombre,
algún aislado capacete blanco,

229

alelado de isla
bajo el puño de hierro de los rones.

Tambores

La noche es un criadero de tambores
que croan en la selva,
con sus roncas gargantas de pellejo
cuando alguna fogata los despierta.

En el lodo compacto de la sombra
parpadeado de ojillos de luciérnagas,
esos ventrudos bichos musicales
con sus patas de ritmo chapotean.

Con soñoliento gesto de batracios
alzan pesadamente la cabeza,
dando al cálido viento la pringosa
gracia de su energía tuntuneca.

Los oye el hombre blanco
perdido allá en las selvas...
Es un tuntún asiduo que se vierte
imponderable por la noche inmensa.

A su conjuro hierven
las oscuras potencias:
fetiches de la danza,
tótemes de la guerra,

y los mil y un demonios que pululan
por el cielo sensual del alma negra.

    ¡Ahí vienen los tambores!
Ten cuidado, hombre blanco, que a ti llegan
para clavarte su aguijón de música.
Tápate las orejas,
cierra toda abertura de tu alma
y el instinto dispón a la defensa;
que si en la torva noche de Nigricia
te picara un tambor de danza o guerra,
su terrible ponzoña
correrá para siempre por tus venas.

Placeres

    El pabellón francés entra en el puerto,
abrid vuestros prostíbulos, rameras.
La bandera británica ha llegado,
limpiad de vagos las tabernas.
El oriflama yanki...
preparad el negrito y la palmera.

    Puta, ron, negro. Delicia
de las tres grandes potencias
en la Antilla.

Ron

Los negros con antorchas encendidas
bailando en ti
Las negras —grandes bocas de sandía—
riendo en ti.
Los mil gallos de Kingston, a la aurora,
cantando en ti.
—¡Eh, timonel, proa a tierra:
estamos en Jamaica!

ÑAÑIGO AL CIELO

EL ñáñigo sube al cielo.
El cielo se ha decorado
de melón y calabaza
para la entrada del ñáñigo.
Los arcángeles, vestidos
con verdes hojas de plátano,
lucen coronas de anana
y espadones de malango.
La gloria del Padre Eterno
rompe en triunfal taponazo,
y espuma de serafines
se riega por los espacios.
El ñáñigo va rompiendo
tiernas oleadas de blanco,
en su ascensión milagrosa
al dulce mundo seráfico.
Sobre el cerdo y el caimán
Jehová, el potente, ha triunfado...

¡Gloria a Dios en las alturas
que nos trae por fin el ñáñigo!

Fiesta del cielo. Dulzura
de merengues y caratos,
mermelada de oraciones,
honesta horchata de salmos.
Con dedos de bronce y oro,
las trompas de los heraldos
por los balcones del cielo
cuelgan racimos de cantos.
Para aclararse la voz,
los querubes sonrosados
del egregio coro apuran
huevos de Espíritu Santo.
El buen humor celestial
hace alegre despilfarro
de chistes de muselina,
en palabras que ha lavado
de todo tizne terreno
el celo azul de los santos.

El ñáñigo asciende por
la escalinata de mármol
con meneo contagioso
de caderas y omoplatos.
—Las órdenes celestiales
le acogen culipandeando—

Hete quí las blancas órdenes
del ceremonial hierático:

La Orden del Golpe de Pecho,
la Orden del Ojo Extasiado,
la que preside San Memo,
la Real Orden de San Mamo,
las parsimoniosas órdenes
del Arrojo Sacrosanto
que con matraca y rabel
barren el cielo de diablos.

En loa del alma nueva
que el Empíreo ha conquistado,
ondula el cielo en escuadras
de doctores y de santos.
Con arrobos maternales,
a que contemplen el ñáñigo
las castas once mil vírgenes
traen a los niños nonatos.
Las Altas Cancillerías
despliegan sus diplomáticos,
y se ven, en el desfile,
con eximio goce extático
y clueca sananería
de capones gallipavos.

De pronto Jehová conmueve
de una patada el espacio.
Rueda el trueno y quedan solos
frente a frente, Dios y el ñáñigo.
—En la diestra del Señor,
agrio foete, fulge el rayo.

(Palabra de Dios, no es música
transportable a ritmo humano.
lo que Jehová preguntara,
lo que respondiera el ñáñigo,
pide un más noble instrumento
y exige un atril más alto.
Ataquen, pues, los exégetas
el tronco de tal milagro,
y quédese mi romance
por las ramas picoteando.
Pero donde el pico es corto,
vista y olfato van largos,
y mientras aquélla mira
a Dios y al negro abrazados,
éste percibe un mareante
tufo de ron antillano,
que envuelve las dos figuras
protagonistas del cuadro,
y da tonos de cumbancha
al festival del espacio.)

¿Por qué va aprisa San Memo?
¿Por qué está alegre San Mamo?
¿Por qué las once mil vírgenes
sobre los varones castos
echan con grave descoco,
la carga de los nonatos?
¿Quién enciende en las alturas
tan borococo antillano,
que en oleadas de bochinche

estremece los espacios?
¿Cúya es esa gran figura
que va dando barquinazos,
con su rezongo de truenos
y su orla azul de relámpagos?

Ha entrado un alma en el cielo
¡y ésa es el alma del ñáñigo!

CANCIÓN FESTIVA
PARA SER LLORADA

Cuba —ñáñigo y bachata—
Haití —vodú y calabaza—
Puerto Rico —burundanga—

Martinica y Guadalupe
me van poniendo la casa.
Martinica en la cocina
y Guadalupe en la sala.
Martinica hace la sopa
y Guadalupe la cama.
Buen calalú, Martinica,
que Guadalupe me aguarda.

¿En qué lorito aprendiste
ese patuá de melaza,
Guadalupe de mis trópicos,
mi suculenta tinaja?
A la francesa, resbalo,
sobre tu carne mulata,

238

que a falta de pan, tu torta
es prieta gloria antillana.
He de traerte de Haití
un cónsul de aristocracia:
Conde del Aro en la Oreja,
Duque de la Mermelada.

Para cuidarme el jardín
con Santo Domingo basta.
Su perenne do de pecho
pone intrusos a distancia.
Su agrio gesto de primate
en lira azul azucara,
cuando borda madrigales
con dedos de butifarra.

Cuba —ñáñigo y bachata—
Haití —vodú y calabaza—
—Puerto Rico —burundanga—

Las antillitas menores,
titís inocentes, bailan
sobre el ovillo de un viento
que el ancho golfo huracana

Aquí está San Kitts el nene,
el bobo de la comarca.
Pescando tiernos ciclones
entretiene su ignorancia.
Los purga con sal de fruta,

los ceba con cocos de agua,
y adultos ya, los remite,
C.O.D. a sus hermanas,
para que se desayunen
con tormenta rebozada.

Aquí está Santo Tomé,
de malagueta y malanga
cargado el burro que el cielo
de Su Santidad demanda...
(Su Santidad, Babbitt Máximo,
con sello y marca de fábrica.)
De su grave teología
Lutero hizo una fogata,
y alrededor, biblia en mano,
los negros tórtolos bailan
cantando salmos oscuros
a bombo, mongo de África.

¡Hola, viejo Curazao!
Ya yo te he visto la cara.
Tu bravo puño de hierro
me ha quemado la garganta.
Por el mundo, embotellado,
vas del brazo de Jamaica,
soltando tu áspero tufo
de azúcares fermentadas.

Cuba —ñáñigo y bachata—
Haití —vodú y calabaza—
Puerto Rico —burundanga—

Mira que te coge el ñáñigo,
niña, no salgas de casa.
Mira que te coge el ñáñigo
del jueguito de la Habana.
Con tu carne hará gandinga,
con tu seso mermelada;
ñáñigo carabalí
de la manigua cubana.

Me voy al titiringó
de la calle de la prángana,
ya verás el huele-huele
que enciendo tras de mi saya,
cuando resude canela
sobre la rumba de llamas;
que a mí no me arredra el ñáñigo
del jueguito de la Habana.

Macandal bate su gongo
en la torva noche haitiana.
Dentaduras de marfil
en la tiniebla resaltan.
Por los árboles se cuelan
ariscas formas extrañas,
y Haití, fiero y enigmático,
hierve como una amenaza.

Es el vodú. La tremenda
hora del zombí y la rana.
Sobre los cañaverales
los espíritus trabajan.

Ogún Badagrí en la sombra
afila su negra daga...
—Mañana tendrá el amito
la mejor de las corbatas—
Dessalines grita: ¡Sangre!
L'Overture ruge: ¡Venganza!
mientras remoto, escondido,
por la profunda maraña,
Macandal bate su gongo
en la torva noche haitiana.

Cuba —ñáñigo y bachata—
Haití —vodú y calabaza—
Puerto Rico —burundanga—

Antilla, vaho pastoso
de templa recién cuajada.
Trajín de ingenio cañero.
Baño turco de melaza.
Aristocracia de dril
donde la vida resbala
sobre frases de natilla
y suculentas metáforas.
Estilización de costa
a cargo de entecas palmas.
Idioma blando y chorreoso
—mamey, cacao, guanábana—
En negrito y cocotero
Babbitt turista te atrapa;
Tartarín sensual te sueña
en tu loro y tu mulata;

242

sólo a veces Don Quijote,
por chiflado y musaraña,
de tu maritornería
construye una dulcineada.

Cuba —ñáñigo y bachata—
Haití —vodú y calabaza—
Puerto Rico —burundanga—

MULATA - ANTILLA

En ti ahora, mulata,
me acojo al tibio mar de las Antillas.
Agua sensual y lenta de melaza,
puerto de azúcar, cálida bahía,
con la luz en reposo
dorando la onda limpia,
y el soñoliento zumbo de colmena
que cuajan los trajines de la orilla.

En ti ahora, mulata,
cruzo el mar de las islas.
Eléctricos mininos de ciclones
en tus curvas se alargan y se ovillan,
mientras sobre mi barca va cayendo
la noche de tus ojos, pensativa.

En ti ahora, mulata...
¡oh despertar glorioso en las Antillas!
bravo color que el do de pecho alcanza,

música al rojo vivo de alegría,
y calientes cantáridas de aroma
—limón, tabaco, piña—
zumbando a los sentidos
sus embriagadas voces de delicia.

Eres ahora, mulata,
todo el mar y la tierra de mis islas.
Sinfonía frutal cuyas escalas
rompen furiosamente en tu catinga.
He aquí en su verde traje la guanábana
con sus finas y blandas pantaletas
de muselina; he aquí el caimito
con su leche infantil; he aquí la piña
con su corona de soprano... Todos
los frutos ¡oh mulata! tú me brindas,
en la clara bahía de tu cuerpo
por los soles del trópico bruñida.

Imperio tuyo, el plátano y el coco,
que apuntan su dorada artillería
al barco transeúnte que nos deja
su rubio contrabando de turistas.
En potro de huracán pasas cantando
tu criolla canción, prieta walkiria,
con centelleante espuela de relámpagos
rumbo al verde Walhalla de las islas.

Eres inmensidad libre y sin límites,
eres amor sin trabas y sin prisas;

en tu vientre conjugan mis dos razas
sus vitales potencias expansivas.
Amor, tórrido amor de la mulata,
gallo de ron, azúcar derretida,
tabonuco que el tuétano te abrasa
con aromas de sándalo y de mirra.
Con voces del Cantar de los Cantares,
eres morena porque el sol te mira.
Debajo de tu lengua hay miel y leche
y ungüento derramado en tus pupilas.
Como la torre de David, tu cuello,
y tus pechos gemelas cervatillas.
Flor de Sarón y lirio de los valles,
yegua de Faraón, ¡oh Sulamita!

    Cuba, Santo Domingo, Puerto Rico,
fogosas y sensuales tierras mías.
¡Oh los rones calientes de Jamaica!
¡Oh fiero calalú de Martinica!
¡Oh noche fermentada de tambores
del Haití impenetrable y voduista!
Dominica, Tortola, Guadalupe,
¡Antillas, mis Antillas!
Sobre el mar de Colón, aupadas todas,
sobre el Caribe mar, todas unidas,
soñando y padeciendo y forcejeando
contra pestes, ciclones y codicias,
y muriéndose un poco por la noche,
y otra vez a la aurora, redivivas,
porque eres tú, mulata de los trópicos,
la libertad cantando en mis Antillas.

VII

AIRES BUCANEROS

A Jaime Benítez

P ARA el bucanero carne bucanada,
el largo mosquete de pólvora negra,
la roja camisa, la rústica abarca
y el tórrido ponche de ron con pimienta.

I

¡Ay, batatales de la Tortuga,
cacao en jícara de Nueva Reyna!
¡Huy, los caimanes de Maracaibo,
vómito prieto de Cartagena!

¡Ay, naranjales de La Española,
cazabe tierno de Venezuela!
¡Huy, tiburones de Portobelo,
berbén violáceo de la Cruz Vera!

249

II

Al bucanero densos perfumes,
el crudo aroma, la brava especia:
las bergamotas y los jengibres,
los azafranes y las canelas.

¡Ay, blando chumbo de la criolla,
de la mulata tibia mameya!
¡Huy, la guanábana cimarrona
que abre su bruja flor en la negra!

¡Ay, duros ojos de la cautiva
que al bucanero locura llevan;
ojos que en su alma ya desataron
el zas fulmíneo de la centella!

Mejor el ponche de moscabada,
mejor la pipa que al viento humea,
mejor el largo fusil de chispa,
mejor el torvo mastín de presa.

III

Al bucanero la res salvaje:
toro montuno, vaca mañera.
Las hecatombes en la manigua
al fulgor vivo de las hogueras.

¡Ay, el ternero desjarretado
que se asa al humo de fronda tierna!
Boucán en lonja para el almuerzo,
Toute chaude de tuétano para la cena.

¡Huy, fiera caña de las Antillas
que en viejo roble su diablo acendra,
y en las entrañas del bucanero,
agua de infierno, ruge violenta!

IV

Al bucanero las tierras vírgenes,
el agua indómita, la mar inédita;
los horizontes en donde aúlla
la agria jauría de la tormenta.

¡Ay, las maniguas paticerradas,
jaguar taimado, víbora artera!
¡Huy, tremedales de falso adorno,
árbol carnívoro, liana tremenda!

¡Ay letal sombra del manzanillo,
roja calina de las praderas,
miasma envolvente de los manglares,
jején palúdico de las ciénagas!

Y en el delirio febricitante
voces fantasmas cruzan la selva...

¡Camalofote del camalote,
Bucaramángara la bucanera!

V

Al bucanero curvo machete,
puñal certero, pistola alerta;
ánima firme para el asalto
cuando columbra la esquiva presa.

¡Ay, galeón pavo que infla en el viento
su linajudo plumón de velas,
y, tenso el moco del contrafoque
—señor del agua— se pavonea!

Síguelo el lugre filibustero
en ominosas bordadas fieras:
gallo encastado del Mar Caribe,
el cuello al rape, limpia la espuela...

Y en la pelmele del abordaje
que funde el rezo con la blasfemia,
desmocha al pavo galeón del Golfo
la rubia traba filibustera.

VI

Por el camino de Tierra Firme
campanilleando viene la recua.
Cincuenta mulas venezolanas
traen el tesoro de las Américas.

(Polvos auríferos de la montaña,
finas vicuñas de la meseta,
tórridas mieles de la llanura,
resinas mágicas de la selva.)

Bosques y ríos, mares y montes,
sobre las mulas su carga vuelcan...
Oro idolátrico del Grande Inca,
plata litúrgica del Noble Azteca.

La guardia altiva de los virreyes
cubre los flancos y al fondo cierra.
¡Ay, caravana que se confía
a la española lanza guerrera!

Contra ella irrumpen los bucaneros
machete al aire, bala certera,
y el botín pasa del león hispano
al tigre astuto de las Américas.

*

¡Tortuga! Puerto de la Cayona.
D'Ogeron rige, Le Grand acecha,

Levasseur lucha con Pedro Sangre
y Morgan trama su obra maestra.

En la posada del Rey Felipe
el dado corre y el naipe vuela,
mientras las bolsas en pugna lanzan
áureos relámpagos de monedas.

Noche de orgía, la hez del mundo
bulle en el fondo de las tabernas,
entre el repique de los doblones
y el tiquitoque de las botellas.

El vaho íntimo de las mujeres
prende en la sangre moscas de menta,
y a veces rompen contra el tumulto
los cataplunes de la refriega.

¡Ay, la Cayona del bucanero!
Ron y tabaco, puta y pelea,
juego de turba patibularia
que al diablo invoca por veinte lenguas.

Y cuando izada sobre Tortuga
—pendón corsario— la noche ondea,
la luna, cómplice de los piratas
fija en las sombras su calavera.

✱

Para el bucanero carne bucanada,
el largo mosquete de pólvora negra,
la roja camisa, la rústica abarca
y el tórrido ponche de ron con pimienta.

CANCIÓN DE MAR

Dadme esa esponja y tendré el mar.
El mar en overol azul
abotonado de islas
y remendado de continentes,
luchando por salir de su agujero,
con los brazos tendidos empujando las costas.

Dadme esa esponja y tendré el mar.
Jornalero del Cosmos
con el torso de músculos brotado
y los sobacos de alga trasudándole yodo,
surcando el campo inmenso con reja de oleaje
para que Dios le siembre estrellas a voleo.

Dadme esa esponja y tendré el mar.
Peón de confianza y hércules de circo
en cuyos hombros luce su acrobático genio
la chiflada y versátil "troupe" de los meteoros.

(Ved el tifón oblicuo y amarillo de China,
con su farolería de relámpagos
colgándose a la vela de los juncos.
Allá el monzón, a la indostana,
el pluvioso cabello perfumado de sándalo
y el yatagán del rayo entre los dientes,
arroja sus eléctricas bengalas
contra el lujoso paquebote
que riega por las playas de incienso y cinamomo
la peste anglosajona del turismo.
Sobre su pata única, vertiginosamente,
gira y gira el tornado mordiéndose la cola
en trance de San Vito hasta caer redondo.
Le sigue el huracán loco del trópico
recién fugado de su celda de islas,
rasgándose con uñas de ráfagas cortantes
las camisas de fuerza que le ponen las nubes;
y detrás, el ciclón caliente y verde,
y sus desmelenadas mujeres de palmeras
fusiladas al plátano y al coco.

En el final despliegue va el simún africano
—seis milenios de arena faraónica
con su reseco tufo de momia y de pirámide—
La cellisca despluma sobre el agua
su gigantesca pájara de nieve.
Trombas hermafroditas
con sombrillas de seda y voces de barítono
cascan nueces de trueno en sus gargantas.
Pasa el iceberg, trono al garete,

del roto y desbandado imperio de los hielos
con su gran oso blanco
como un Haakón polar hacia el destierro,
levantado el hocico cual si husmease en la noche
la Osa Mayor rodada del ártico dominio;
y mangas de pie alígero y talle encorsetado
ondulan las caderas raudamente
en el salón grisperla del nublado,
y ocultan su embarazo
de barcas destripadas y sorbidas
en guardainfantes pálidos de bruma.)

Dadme esa esponja y tendré el mar.
Minero por las grutas de coral y madrépora
en la cerrada noche del abismo
—Himalaya invertido—
le alumbran vagos peces cuyas linternas sordas
disparan sin ruido en la tiniebla
flashes de agua de fósforo
y ojos desmesurados y fijos de escafandra.
Abajo es el imperio fabuloso:
la sombra de galeones sumergidos
desangrando monedas de oro pálido y viejo;
las conchas entreabiertas como párpados
mostrando el ojo ciego y lunar de las perlas;
el pálido fantasma de ciudades hundidas
en el verdor crepuscular del agua . . .
remotas ulalumes de un sueño inenarrable
resbalado de monstruos que fluyen en silencio
por junglas submarinas y floras de trasmundo.

Dadme esa esponja y tendré el mar.
El mar infatigable, el mar rebelde
contra su sino de forzado eterno,
para tirar del rischa en que la Aurora
con rostro arrociblanco de luna japonesa
rueda en su sol naciente sobre el agua;
para llenar las odres de las nubes;
para tejer con su salobre vaho
el broderí intangible de las nieblas;
para lanzar sus peces voladores
como últimas palomas mensajeras
a los barcos en viaje sin retorno;
para tragarse —hindú maravilloso—
la espada de Vishnú de la centella,
y para ser el comodín orfebre
cuando los iris, picaflores mágicos,
tiemblan libando en su corola azul,
o cuando Dios, como por distraerse,
arrójale pedradas de aerolitos
que él devuelve a las playas convertidas
en estrellas de mar y caracolas.

Dadme esa esponja y tendré el mar.
Hércules prodigioso
tallado a furia de aquilón y rayo
que hincha el tórax en ansia de infinito,
y en gimnástico impulso arrebatado
lucha para salir de su agujero
con los brazos tendidos empujando las costas.

MENÚ

MI restorán abierto en el camino
para ti, trashumante peregrino.
Comida limpia y varia
sin truco de especiosa culinaria.

Hete aquí este paisaje digestivo
recién pescado en linfas antillanas:
rabo de costa en caldo de mar vivo,
con pimienta de luz y miel de ananas.

Si la inocua legumbre puritana
tu sobrio gusto siente,
y a su térreo sabor híncale el diente
tu simple propensión vegetariana,
aquí está este racimo de bohíos
que a hombro de monte acogedor reposa
—monte con barba jíbara de ríos,
de camarón y guábara piojosa—

sobre cuyas techumbres cae, espesa,
yema de sol batida en mayonesa.

Tengo, para los gustos ultrafinos,
platos que son la gloria de la mesa...
aquí están unos pinos,
pinos a la francesa
en verleniana salsa de crepúsculo.
(El chef Rubén, cuyos soberbios flanes
delicia son de líricos gurmanes,
les dedicó un opúsculo.)

Si a lo francés prefieres lo criollo,
y tu apetencia, con loable intento,
pírrase por ajiaco y ajopollo
y sopón de embrujado condimento,
toma este calalú maravilloso
con que la noche tropical aduna
su maíz estrellado y luminoso,
y el diente de ajo de su media luna
en divino potaje sustancioso.

(Sopa de Martinica, caldo fiero
que el volcán Mont Peleé cuece y engorda;
los huracanes soplan el brasero,
y el caldo hierve, y sube, y se desborda,
en rebullente espuma de luceros.)

Mas si en la gama vegetal persiste
tu aleccionado instinto pacifista,

con el vate de Asís, alado y triste,
y Gandhi, el comeyerbas teosofista,
tengo setas de nubes remojadas
en su entrañable exudación de orvallo,
grandes setas cargadas
con vitamina eléctrica de rayo,
que dan a quien su tónico acumula
la elemental potencia de la mula.

La casa luce habilidad maestra
creando inusitadas maravillas
de cosas naturales y sencillas,
para la lengua culturada y diestra.
Aquí te va una muestra:
palmeras al ciclón de las Antillas,
cañaveral horneado a fuego lento,
soufflé de platanales sobre el viento,
piñón de flamboyanes en su tinta,
o merienda playera
de uveros y manglares en salmuera,
para dejar la gula regulada
al propio Saladín de la Ensalada.

Mi restorán te brinda sus servicios.
Arrímate a la mesa, pasajero,
come hasta hartar y séante propicios
los dioses de la Uva y el Puchero.

A LUIS LLORÉNS TORRES

En su muerte

AL doblar una curva del viaje, la Enlutada
te guiñó desde el fondo de la noche estrellada
y tú, ante la insinuante y amorosa guiñada,
tenorio impenitente, corriste a su llamada.

Corriste a su llamada y abandonaste el fundo
que fue para tu numen telúrico y profundo
el íntimo acicate y el realizar fecundo...
el fundo que cantaras con acento jocundo;
con aquella alegría sensual y luminosa
que te irradiaba de la entraña calurosa
y ponía su luz en todo lo cantado
cual por varilla mágica y virtuosa tocado.

Abandonaste el fundo que fue tu señorío:
el tabaçal, el huerto, la montaña y el río,
el plátano plantado en su húmedo plantío,

el cafeto a la sombra de guabas maternales,
y la jíbara en tibios arrullos pasionales
dándote sus primicias de amor en el bohío.

(Afuera, en la espesura de agrestes eclosiones
monta el tiple a la grupa de una copla serrana
y la guitarra quema su mano de bordones,
mientras el güiro tórrido, tostado de canciones,
ralla el coco sombrío de la noche antillana,
y el cielo en que aún perduran las zodiacales huellas
va llenando su cuenco de una tibia y lejana
leche de nebulosas y cachispa de estrellas.)

Y más allá, en el fundo, en la paz anchurosa
y vegetal del campo, cuando la soledosa
voz del coquí, goteando de la nocturna calma
bajaba hasta el hondón elemental de tu alma,
partías de ti mismo por rutas misteriosas
hacia el cósmico imperio de las claras esferas,
a indagar el origen de las primeras cosas
y el sentido profundo de las causas primeras.

Y sentías, pensabas. Y de tu sentimiento
iba cuajando una niebla azul en el viento.
Una niebla de música vaporosa y sencilla
que en ancestral romance su pie menudo apoya,
y de cuya cadencia brotó la maravilla
del canto inimitable: ¡tu décima criolla!

Tu décima criolla: guiño de picardía,
flor de gracia y esencia de honda filosofía;
agua que descendía cantando su canción
del manantial fecundo de tu gran corazón
y que tú nos filtrabas en hojas de yautía.

Maestro: cuando tu carne ya en tierra, liquidada,
sea un poco de polvo, una ceniza, nada;
cuando de tus poemas de ancho y viril aliento
sólo quede un rumor diluido en el viento,
y cuando de la estatua que habrán de levantarte
más que tu nombre mismo, se admire la obra de arte;
un día, allá en el fondo del campo, alguna triste
jíbara enamorada, para endulzar su historia,
dirá una copla tuya sin recordar quién fuiste
¡y ese será el más grande monumento a tu gloria!

A NIMIA VICÉNS

Leyendo sus versos

CATEDRAL de jazmín hecha en la brisa,
llena el mundo de aroma tu nevar.
¡Oh casa de la espuma y la sonrisa
para el sueño, la nube y el cantar!

El verbo, penetrado de tu esencia,
embriágase en fulgor de amanecer;
y en el leve fluir de tu presencia
la gracia es don y la bondad quehacer.

Jazminero que el tiempo emprimavera...
forma de esta poesía, tan ligera,
que se deshoja al solo dar su olor.

Pero en el ritmo que su voz asume,
todo es ensueño y música y perfume
porque a su paso el mundo se hace flor.

BOCETO

Eres como de aire detenido
en lámina de música ondulante,
te mueves, vuelo hacia país flotante,
por alígero numen concebido.

A cada movimiento del movido
volar de tu pisar, arco radiante
trémulo irradia de tu pie volante
en eje luminoso convertido.

Una, dos, tres pisadas armoniosas,
cuatro, cinco, seis ruedas luminosas
con tu planta por mágico sustento.

Pienso, al mirar lo que tu ser despide,
que en la cadencia de tu andar reside
el don creador de luz y movimiento.

MUJER ENCINTA

A Marilú de Rodríguez

Mirada de ternura degollada
en la que suena un lánguido balido,
voz vegetal de musgo humedecido
que trasmina del alma enamorada.

Horizonte de curva renovada
al contorno del cuerpo devenido,
y al fondo, la arpa roja del latido,
por mano de aire luz sangre pulsada.

Afuera dejadez, ademán lento,
palabra de moroso movimiento,
en pausa inerte la existencia anclada,

y adentro, Dios, gozoso de armonía,
pensando y afanando noche y día
para sacar su mundo de la nada.

VIRGO MATER

FUERTE como la espuma que siempre se rehace,
tu alma, todos los días, de su misterio nace,
y vive eternamente vírgen, reciénnacida,
rosa abierta al milagro de la luz y la vida.

Nada conturba su ámbito: ni el tiempo detenido,
ni el ilusorio juego del espacio fluido...
es como Dios forjando sus mundos de la nada,
apenas se destruye cuando ya está creada.

Creada ya y formándose de nuevo, ola constante
que un hálito de vida mantiene renovada
en avatar perenne ỹ en gracia palpitante,

y tan fiel al principio de su esencia materna,
que en el mar sin orillas del amor proyectada
tu alma es vieja y es joven y es fugaz y es eterna.

PARA LO ETERNO

Fueras céfiro, brisa, criatura
de ingravidez, de gracia transparente.
Crecieras suave música emoliente
pautada a un lueñe tiempo de dulzura...

O inmóvil en tu pálida belleza
quedáraste en un limbo, ensimismada:
ojos serenos, mano reposada,
y jugando a ser triste sin tristeza.

Al tiempo y al espacio congelada,
lucieras en tu lánguido hemisferio
marea de jazmín, voz de salterio,
y por tu propia luz iluminada.

Ampliárase tu luz por la vacía
perennidad en ola sin ruido,
sangre empujada al diáfano latido
de una interior, angélica armonía.

*

Así te amara en trance reverente,
inefable sentir mi sentir fuera,
y fijáraste en gracia y en manera
de ser para lo eterno, eternamente.

ASTERISCOS

PARA LO INTACTO

POR repartida que vayas
entera siempre estarás.
Aun dándote de mil modos
no te fragmentas jamás.
Cada donación que haces,
cada dádiva que das,
te deja siempre lo mismo
a repartir o donar...
prodigio del dar y ser,
milagro del ir y estar.

Darte es tenerte a ti misma
y tenerte es darte más;
darse y tenerse, ¿no es eso
amor, luz, eternidad?
El amor se da y se tiene,
la luz se tiene y se da,

y lo eterno vase dando
y teniéndose eternal.

Como en ti todo es llegado,
todo es en ti comenzar;
quehacer de oleaje perenne
terminado sin cesar;
sueño que se hila a sí propio
y tórnase a deshilar,
y que ni empieza ni acaba
pues empieza al acabar.

Ni un grano inerte, en tu fábrica
todo es vivo y primordial;
todo a unánime pulsada
rinde faena esencial.
El bien del mundo te fluye
de la parte a lo total,
sin perderlo ni ganarlo,
que en el perder va el ganar.

¿Qué don de milagro acendra
tu apretada identidad?
¡Oh magia, centrifugada,
de tu intrínseco hontanar!
Agua que es piedra de cuarzo,
piedra que ya es manantial,
sombra del minuto eterno
inmóvil en lo fugaz.

Con efímeras substancias
fundas a perpetuidad,
la quietud en movimiento
de tu esencia virginal.

Gloria intacta, bien intacto,
belleza pura y cabal.
Redondez de lo perfecto,
sola, en el mundo falaz...
¡Única gracia creada,
que Dios no vuelve a crear!

PUERTA AL TIEMPO EN TRES VOCES

I

. . . DEL trasfondo de un sueño la escapada
Filí-Melé. La flúida cabellera
fronda crece, de abejas enjambrada;
el tronco —desnudez cristalizada—
es denudez en luz tan desnudada
que al mirarlo se mira la mirada.

Frutos hay, y la vena despertada
látele azul y en el azul diluye
su pálida tintura derramada,
por donde todo hacia la muerte fluye
en huída tan lueñe y sosegada
que nada en ella en apariencia huye.

Filí-Melé Filí-Melé, ¿hacia dónde
tú, si no hay tiempo para recogerte
ni espacio donde puedas contenerte?

Filí, la inaprehensible ya atrapada,
Melé, numen y esencia de la muerte.

Y ahora, ¿a qué trasmundo, perseguida
serás, si es que eres? ¿Para qué ribera
huye tu blanca vela distendida
sobre mares oleados de quimera?

II

En sombra de sentido de palabras,
fantasmas de palabras;
en el susto que toma a las palabras
cuando con leve, súbita pisada,
las roza el halo del fulgor del alma;
—rasgo de ala en el agua,
ritmo intentado que no logra acorde,
abortada emoción cohibida de habla—;
en el silencio tan cercano al grito
que recorre las noches estrelladas,
y más lo vemos que lo oímos,
y casi le palpamos la sustancia;
o en el silencio plano y amarillo
de las desiertas playas,
batiendo el mar en su tambor de arena
salado puño de ola y alga,
¿Qué lenguaje te encuentra, con qué idioma
(ojo inmóvil, voz muda, mano laxa)
podré yo asirte, columbrar tu imagen,
la imagen de tu imagen reflejada

muy allá de la música-poesía,
muy atrás de los cantos sin palabras?

   Mis palabras, mis sombras de palabras,
a ti, en la punta de sus pies, aupadas.
Mis deseos, mis galgos de deseos;
a ti, ahilados, translúcidos espectros.
Yo, evaporado, diluido, roto,
abierta red en el sinfín sin fondo...
Tú, por ninguna parte de la nada,
¡qué escondida, cuán alta!

III.

   En lo fugaz, en lo que ya no existe
cuando se piensa,
y apenas deja de pensarse
cobra existencia;
en lo que si se nombra se destruye,
catedral de ceniza, árbol de niebla...
¿Cómo subir tu rama?
¿Cómo tocar tu puerta?

   Pienso, Filí-Melé, que en el buscarte
ya te estoy encontrando,
y te vuelvo a perder en el oleaje
donde a cincel de espuma te has formado.
Pienso que de tu pena hasta la mía
se tiende un puente de armonioso llanto
tan quebradizo y frágil, que en la sombra

sólo puede el silencio atravesarlo.
Un gesto, una mirada, bastarían
a fallar sus estribos de aire amargo
como al modo de Weber, que en la noche
nos da, cisne teutón, su último canto.

*

Canto final donde la acción frustrada
abre al tiempo una puerta sostenida
en tres voces que esperan tu llegada;
tu llegada, aunque sé que eres perdida...
Perdida y ya por siempre conquistada,
fiel fugada Filí-Melé abolida.

EL LLAMADO

Me llaman desde allá...
larga voz de hoja seca,
mano fugaz de nube
que en el aire de otoño se dispersa.
Por arriba el llamado
tira de mí con tenue hilo de estrella,
abajo, el agua en tránsito,
con sollozo de espuma entre la niebla.
Ha tiempo oigo las voces
y descubro las señas.

Hoy recuerdo: es un día venturoso
de cielo despejado y clara tierra;
golondrinas erráticas
el calmo azul puntean.
Estoy frente a la mar y en lontananza
se va perdiendo el ala de una vela;
va yéndose, esfumándose,

y yo también me voy borrando en ella.
Y cuando al fin retorno
por un leve resquicio de conciencia
¡cuán lejos ya me encuentro de mí mismo!
¡qué mundo más extraño me rodea!

   Ahora, dormida junto a mí, reposa
mi amor sobre la hierba.
El seno palpitante
sube y baja tranquilo en la marea
del ímpetu calmado que diluye
espectrales añiles en su ojera.
Miro esa dulce fábrica rendida,
cuerpo de trampa y presa
cuyo ritmo esencial como jugando
manufactura la caricia aérea,
el arrullo narcótico y el beso
—víspera ardiente de gozosa queja—
y me digo: Ya todo ha terminado...
Mas de pronto, despierta,
y allá en el negro hondón de sus pupilas
que son un despedirse y una ausencia,
algo me invita a su remota margen
y dulcemente, sin querer, me lleva.

   Me llaman desde allá...
Mi nave aparejada está dispuesta
a su redor, en grumos de silencio,
sordamente coagula la tiniebla.

Un mar hueco, sin peces,
agua vacía y negra
sin vena de fulgor que la penetre
ni pisada de brisa que la mueva.
Fondo inmóvil de sombra,
límite gris de piedra...
¡Oh soledad, que a fuerza de andar sola
se siente de sí misma compañera!

*

Emisario solícito que vienes
con oculto mensaje hasta mi puerta,
sé lo que te propones
y no me engaña tu misión secreta;
me llaman desde allá,
pero el amor dormido aquí en la hierba
es bello todavía
y un júbilo de sol baña la tierra.
¡Déjeme tu implacable poderío
una hora, un minuto más con ella!

LA BÚSQUEDA ASESINA

(Poema inconcluso)

Yo te maté, Filí-Melé: tan leve
tu esencia, tan aérea tu pisada,
que apenas ibas nube ya eras nieve,
apenas ibas nieve ya eras nada.

Cambio de forma en tránsito constante,
habida y transfugada a sueño, a bruma...
Agua-luz lagrimándose en diamante,
diamante sollozándose en espuma.

Fugacidad, eternidad... ¿quién sabe?
¿Cómo seguir tu alado movimiento?
¿De qué substancia figurar tu clave,
y con qué clave descifrar tu acento?

Yo te maté, Filí-Melé: buscada
a sordos tumbos ciegos, perseguida

con voz sin cauce, con afán sin brida;
allá en agua de sombras resbalada
sobre arena de estrellas encendida;
allá en tumulto de olas espumada
—flor instantánea al aire suspendida—
por la gracia y la luz arrebatada
y en aire sin recuerdo devenida.
De sol a sol, jornada tras jornada,
desde la puesta hasta la amanecida;
tenso afán de tenerte y penetrarte
mi amor ya no fue amor para quererte,
era viento de sangre para ahogarte,
red de oscura pasión para envolverte.

   ¡Oh lirio, oh pan de luz, oh siderado
copo de espuma virgen que con fiero
y súbito ademán hube tronchado!
¿Cómo volverte a tu fulgor primero?

   Eras en mí, dentro de mí, presencia
vital de amor que el alma sostenía,
y para mí, fuera de mí, en ausencia,
razón del ser y el existir: poesía.

   Y ahora,
silencio, soledad, quietud que añora...

   ¿Qué trompa de huracán hace más ruido
que este calmazo atroz que me rodea
y me tiene sin aire y sin sentido,
sordo de verbo y lóbrego de idea,

y que se anuda a mí con cerco fiero
en yelo ardiente y negro congelado,
cual detrito de acoso y desespero
por mi íntima tensión centrifugado?

*

Zumbel tú, yo peonza. Vuelva el tiro,
aquel leve tirar sobre el quebranto
que a masa inerte dábale pie y giro
haciéndola cantar en risa y llanto
y en sonrisa y suspiro...
¡Vuelva, zumbel, el tiro,
que mientras tires tú me dura el canto!

BIBLIOGRAFÍA

I. Obras de Palés

Azaleas. Poesías. Palabras preliminares de Manuel Martínez Dávila, Guayama, Casa Editorial Rodríguez y Cía., 1915.

Tuntún de pasa y grifería. Poemas afroantillanos. Prólogo de Angel Valbuena Prat. San Juan de Puerto Rico, Biblioteca de Autores Puertorriqueños, 1937.

Tuntún de pasa y grifería. Nueva edición. Prólogo de Jaime Benítez. San Juan de Puerto Rico, Biblioteca de Autores Puertorriqueños, 1950.

Litoral (Reseña de una vida inútil). El Diario de Puerto Rico, San Juan, 1949 (todos los sábados, del 5 de febrero al 25 de abril); Universidad, Río Piedras, quincenalmente, entre 9 de noviembre, 1951 y 15 de mayo, 1952.

II. Estudios Sobre Palés

Homenaje a Luis Palés Matos, Discursos de Andrés Iduarte, José Antonio Portuondo, Eugenio Florit, Federico de Onís; Revista Hispánica Moderna, 1951, XVII, 373-376.

Homenaje póstumo de la Cámara de Representantes al poeta Luis Palés Matos, el 23 de febrero de 1950. (Discursos de Alvarado, García Calderón, Quiñones Elías, Mojica Marrero, Font Saldaña y Anglade.)

Número dedicado. Asomante, P. R., 1959, XV, núm. 3.

Número dedicado. Asomante, P. R., 1969, XXV, núm. 4.

Número dedicado. Guajana, P. R., diciembre 1962, I, núm. 1.

Número dedicado La Torre, P. R., 1960, núm. 29-30.

ACOSTA RODRÍGUEZ, LUIS, *Luis Palés Matos;* El Pueblo, Fajardo, 1919.

AGRAIT, GUSTAVO, *Luis Palés Matos: un poeta puertorriqueño;* 1955. (Conferencia inédita).

——, *Una posible explicación del ciclo negro en la poesía de Palés* (Fragmento de una conferencia) Revista del Instituto de Cultura Puertorriqueña, 1959, II, núm. 3, pp. 39-40.

ALEIXANDRE, VICENTE, *Encuentro con Luis Palés Matos.* La Torre, P. R., VIII, núms. 29-30, 1960, pp. 147-150.

ANDERSON IMBERT, ENRIQUE, *Luis Palés Matos desde la Argentina,* Asomante, P. R., 1959, XV, núm. 3, pp. 39-40.

ARANA, FELIPE N., *Haciendo memoria de Luis Palés Matos,* El Día, Ponce, 13 abril 1959.

ARANA-SOTO, SALVADOR, *Refutando a Luis Palés Matos,* El Mundo, P. R., 25 mayo 1959.

ARBONA, RAMÓN, *Personalidades: Luis Palés Matos,* Presente, P. R., 1959, I, núm. 1.

ARCE DE VÁZQUEZ, MARGOT, *Los poemas negros de Luis Palés Matos;* El Mundo, 21 de enero 1934; Ateneo Puertorriqueño, 1935, I, 35-52; En: *Impresiones,* San Juan, 1950, p. 43-51. (Conferencia en la Universidad de Puerto Rico, 22 septiembre 1933.)

——, *Más sobre los poemas negros de Luis Palés Matos;* Ateneo Puertorriqueño, 1936, II, pp. 35-45; Revista Bimestre Cubana, 1936, XXXVIII, pp. 30-39.

——, *Recitales de Eusebia Cosme en Puerto Rico;* Carteles, Cuba, 1936.

——, *El adjetivo en la "Danza negra" de Luis Palés Matos.* Revista Nacional de Cultura, Venezuela, 1939, I, núm. 5, pp. 56-60.

——, *Los adjetivos de la "Danza negra" de Palés Matos;* Ateneo Puertorriqueño, 1939, III, 147-162; Revista Nacional de Cultura, Venezuela, 1939, I, núm. 5, pp. 56-60; en: *Impresiones,* San Juan, 1950, pp. 61-75.

——, *Luis Palés Matos, mago de la palabra;* En: *Impresiones,* San Juan, 1951, pp. 77-80. (Presentación en la Fiesta de la Lengua, Universidad de Puerto Rico, 1949.)

——, *Impresiones. Notas puertorriqueñas;* San Juan, P. R., Editorial

Yaurel, 1950. (Contiene: *Los poemas negros de Luis Palés Matos; Rectificaciones; El adjetivo en la "Danza negra" de Luis Palés Matos; Luis Palés Matos, mago de la palabra.*)

——, Notas para la composición de *"Tuntún de pasa y grifería"*; Universidad, P. R., 30 septiembre 1954.

——, *El paisaje de Puerto Rico*, Semana, P. R., 16 mayo 1956.

——, Tres pueblos negros. *Algunas observaciones sobre el estilo de Luis Palés Matos.* La Torre, P. R., VIII, núms. 29-30, 1960, pp. 163-187.

——, *Luis Palés, Poeta.* Guajana, P. R., diciembre, 1962, I, núm. 1.

——, *Unidad de la obra poética de Luis Palés Matos,* Asomante, P. R., 1959, XV, núm. 3, pp. 32-38.

——, *Guayama en la poesía de Luis Palés Matos,* Revista del Instituto de Cultura Puertorriqueña, 1959, II, núm. 3, pp. 36-38.

——, *"Litoral", de Luis Palés Matos,* Asomante, P. R., 1969, XXV, núm 4, pp. 9-19.

ARNALDO MEYNERS, JOSÉ, *El mal del aislamiento,* Puerto Rico Ilustrado, 4 febrero 1933.

ARRIGOITIA, LUIS DE, *Anotaciones métricas a "Poesía", de Luis Palés Matos,* Asomante, P. R., 1969, XXV, núm. 4, pp. 71-84.

ARTEL, JORGE, *Ficha lírica de Luis Palés Matos,* Vida Universitaria, Monterrey, México, 1 enero 1958.

——, *El hombre y su ausencia; Carboncillo de Luis Palés Matos,* Vida Universitaria, Monterrey, México, 10 abril 1959.

BABIN, MARÍA TERESA, *Amor y patria en la poesía de Palés Matos* (Apuntes sobre el tema), Asomante, P. R., 1959, XV, núm. 3, pp. 67-68. En: *Jornadas literarias,* P. R., 1967, pp. 79-90.

——, *Edgar Allan Poe y Palés Matos,* El Mundo, P. R., 28 noviembre 1959. En: *Jornadas literarias,* P. R., 1967, pp. 91-95.

——, La búsqueda asesina. *Glosa a cinco poemas de amor de Palés Matos.* La Torre, P. R., 1960, núm. 29-30. En: *Jornadas literarias,* 1967, pp. 97-111.

BARLETTA, LEÓNIDAS, *Hermano negro;* La Prensa, B. A., 1937.

BARRERA, HÉCTOR, *Renovación poética de Luis Palés Matos;* Asomante, 1951, VII, núm. 2, 57-67.

BASAVE, AGUSTÍN, *Poesía afro-antillana;* Novedades, México, 29 agosto, 1954; La Nueva Democracia, 1954, XXXIV, núm. 4, pp. 60-63.

BAYÓN, DAMIÁN CARLOS, *Luis Palés Matos o la creación de un mun-*

do a partir de la poesía. La Torre, P. R., VIII, núms. 29-30, 1960; pp. 105-127.

BEAUCHAMP, JOSÉ JUAN, *In Memoriam: El llamado,* El Mundo, P. R., 9 marzo 1959.

BEDRIÑANA, FFRANCISCO C., *La luna en la poesía negra;* Revista Bimestre Cubana, 1936, XXXVIII, 12-16.

BELAVAL, EMILIO S., *Algunas topografías palesianas,* Asomante, P. R., 1959, XV, núm. 3, pp. 41-50.

BELLINI, GIUSEPPE, *Luis Palés Matos, intérprete del alma antillana,* Asomante, P. R., 1959, XV, núm. 3, pp. 20-31.

BENÍTEZ, JAIME, Luis Palés Matos y el pesimismo en Puerto Rico, Revista Bimestre Cubana, Habana, noviembre-diciembre, 1942.

——, *Homenaje a Palés. Introducción.* La Torre, P. R., VIII, núms. 29-30, 1960, pp. 13-21.

BERNAL, SEVERO, *Pequeñas biografías:* Luis Palés Matos, La Publicidad, Santa Clara, Cuba, 14 agosto 1944.

BLANCO, JOSÉ, *Palés Matos desde Buenos Aires.* La Torre, P. R., VIII, núms. 29-30, 1960, pp. 267-275.

BLANCO, TOMÁS, *A Porto Rican poet, Luis Palés Matos;* The American Mercury, 1930, XXI, 72-75.

——, *En familia;* El Mundo, P. R., 19 febrero 1933.

——, *Un vate boricua en los Madriles;* El Imparcial, San Juan, 24 enero 1934.

——, *Refutación y glosa: Margot Arce: Conferencia sobre poemas negros de Palés;* Ateneo Puertorriqueño, 1935, III, 302-309; Revista Bimestre Cubana, 1936, XXXVIII, 24-30.

——, *Una crítica* (de F. Ortiz) *al poeta Palés Matos;* Revista Bimestre Cubana, 1936, XXXVIII, 286-287.

——, *La poesía en Puerto Rico, Conferencia;* Ultra, 1937, III, 579-581.

——, *Escorzos de un poeta antillano* (Luis Palés Matos); Revista Bimestre Cubana, 1938, XLII, 221-240. (Conferencia en la Institución Hispano-Cubana de Cultura el 7 de noviembre 1937.)

——, *Comentarios a una voz;* La Democracia, 22 enero 1938; En: Blanco, Tomás, *Sobre Palés Matos;* San Juan, 1950, pp. 55-62.

——, *Dos preguntas sobre la poesía de Palés Matos;* Caribe, San Juan, diciembre 1941, I, núm. 2, pp. 20-21.

——, *Sobre Palés Matos, I, Escorzos de un poeta antillano, II, Comen-*

tarios a una voz; San Juan, P. R., Biblioteca de Autores Puertorriqueños, 1950, 63 p.

——, *Periplo: Viaje alrededor del "Tuntún" de Palés; en la busca infructuosa de un reportado pesimismo hipotético;* Puerto Rico Ilustrado, enero 1951.

——, *Reincidencia y ratificación* (Sobre L. Palés Matos, *Poesía, 1915-1956*), Revista del Instituto de Cultura Puertorriqueña, P. R., 1958, I, núm., 1, pp. 35-37.

BOSCH, JUAN, *Poesía y poetas puertorriqueños;* Carteles, 1938.

——, *Palés Matos y el futuro del negro antillano,* Leído el 20 de mayo de 1938 en el Ateneo Puertorriqueño en el homenaje a Palés Matos (Manuscrito).

BRASCHI, WILFREDO, *Luis Palés Matos,* El Mundo, P. R., 9 de marzo 1959.

BUENO, SALVADOR, *Duelo Antillano: En la muerte de Luis Palés Matos,* Carteles, Habana, 8 mayo 1959.

CABRERA, FRANCISCO MANRIQUE, *Historia de la literatura puertorriqueña,* Nueva York, 1956, pp. 255-260.

CAMEJO, RAFAEL W., En: *Florecían los rosales,* Caracas, 1952, pp. 189-195.

CAMPOS, JORGE, *Palés Matos desde España.* La Torre, P. R., VIII, núms. 29-30, 1960, pp. 247-258.

CARRASQUILLO, PEDRO, *Lamento jíbaro; en la muerte del gran poeta negroide Luis Palés Matos,* La Voz, N. Y., marzo 1959.

CARRIÓN MADURO, TOMÁS, *Palés Matos;* Luz, Guayama, P. R., diciembre 1917.

CARTEY, WILFRED, G. O., *Some Aspects of Luis Palés Matos,* La Voz, N. Y., marzo 1959, pp. 8-9.

CLAR, RAYMOND, *Luis Palés Matos,* Tesis de maestría, Universidad de Columbia.

COLORADO, ANTONIO J., *Luis Palés Matos triunfa en España;* Puerto Rico Ilustrado, 1934.

——, *El recital de Eusebia Cosme;* El Mundo, 1936.

——, *Un libro de Palés Matos: Tuntún de pasa y grifería;* El imparcial, P. R., 12 diciembre 1937.

COLL VIDAL, ANTONIO, *El señor de la esquina* (Continuación de un artículo de Palés Matos que se titula *Continuación de un artículo de*

Ribera Chevremont), El Diluvio, P. R., 24 marzo 1917, II, núm. 72.

COMETTA MANZONI, AIDA, *Luis Palés Matos;* El Universal, Caracas, 19 junio 1954.

——, *Trayectoria del negro en la poesía de América;* Nosotros, Buenos Aires.

CÓRDOVA Y CASTRO, ARMADO, *Maña y arte de decir el verso;* Revista Bimestre Cubana, 1936, XXXVIII, 184-190.

CORRETJER, JUAN ANTONIO, *Spengler: Una proyección criolla;* El Mundo, P. R., 1938.

——, *Laurel negro: Palés y los poetas jóvenes,* XXX El Mundo, 7 marzo 1959.

——, *Lo que no fue Palés,* Revista del Instituto de Cultura Puertorriqueña, 1959, II, núm. 3, p. 35.

COULTHARD, G. R., *Rechazo de la civilización europea y búsqueda del alma negra en la literatura antillana.* La Torre, P. R., IV; núm. 14, 1956, pp. 123-143.

——, *La mujer de color en la poesía antillana.* Asomante, P. R., núm. 1, 1958, pp. 35-50.

CUCHÍ COLL, ISABEL, *Oro nativo; colección de semblanzas puertorriqueñas contemporáneas;* San Juan, P. R., Imprenta Venezuela, 1936, pp. 85-91.

——, *Nuestro adiós al poeta,* El Diario de Nueva York, 1 mayo 1959.

DELGADO, EMILIO, *Recuerdo: El vate Luis Palés Matos;* El Mundo, P. R., 12 marzo 1959.

DÍAZ QUIÑONES, ARCADIO, *Testimonio autobiográfico de Luis Palés Matos.* Revista del Instituto de Cultura Puertorriqueña, 1965, núm. 26.

——, *La poesía negra de Luis Palés Matos: Realidad y conciencia de su dimensión colectiva,* Sin Nombre, P. R., 1970, I, núm. 1, pp. 7-25.

DIEGO, GERARDO, *La palabra poética de Luis Palés Matos.* La Torre, P. R., VIII, núms. 29-30, 1960, pp. 81-94.

DIEGO PADRÓ, J. I. DE, *Antillanismo, criollismo, negroidismo;* El Mundo, P. R., 19 noviembre 1932.

DOMENCHINA, JUAN JOSÉ, *Romancero gitano;* La Voz, Madrid, 1935.

——, *Antología de poesía negra hispanoamericana* (de Ballagas); La Voz, Madrid, 11 febrero 1936.

DORESTE, VENTURA, *El mundo poético de Luis Palés Matos,* La Torre, P. R., VIII, núms. 29-30, 1960, pp. 67-79.

ENAMORADO CUESTA, J., *Luis Palés Matos, genial fatalista*, Puerto Rico Libre, 9 abril 1959.

ENGUIDANOS, MIGUEL, *Poesía como vida: Luis Palés Matos*, Madrid-Palma de Mallorca, 1959 (Extr.: Papeles de Son Armadans, 1959, XXXVI, pp. 241-278.)

——, *Lo que Palés Matos añadió a Puerto Rico*, La Torre, P. R., VIII, núms. 29-30, 1960, pp. 49-65.

——, *La poesía de Luis Palés Matos*, Editorial Universitaria, Río Piedras, 1961.

FERNÁNDEZ SÁNCHEZ, ANGEL, *Puntos de vista;* El Diluvio, San Juan, P. R., junio 1933.

FERRER GUTIÉRREZ, V., *Luis Palés Matos, gran poeta antillano;* Revista de Oriente, Santiago, Cuba, abril 1930.

FIGUEIRA, GASTÓN, *Luis Palés Matos, poeta y artista*, La Torre, P. R., VIII, núms. 29-30, pp. 233-243.

FIGUEROA, EDWIN, *Un poema de Luis Palés Matos: Mulata Antilla.* Revista del Instituto de Cultura Puertorriqueña, 1964, núm. 22.

FLORIT, EUGENIO, *Los versos de Palés Matos* (Sobre *Poesía, 1915-1956*), Revista Hispánica Moderna, 1958, XXIV, 216-217.

——, Luis Palés Matos. *Poesía, 1915-1956.* La Torre, P. R., VI, núm. 23, 1958, p. 219.

——, *El mar en los versos de Palés Matos*, Asomante, P. R., 1959, XV, núm. 3, pp. 57-62.

——, *Homenaje a Palés*, La Torre, P. R., VIII, núms. 29-30, 1960, pp. 47-48.

FONT SALDAÑA, JORGE, *El negro lírico de Luis Palés Matos;* Puerto Rico Ilustrado, 1938, XXVIII, núm. 1474.

——, *Domínga de la Cruz Carrillo, nueva intérprete del verso negroide;* Puerto Rico Ilustrado, 1938.

GALLEGO DÍAZ, JOSÉ (Sobre el recital de González Marín), El Sol, Madrid, 1936.

GARCES LARREA, CRISTÓBAL, *Mapa de la poesía afroantillana;* Revista de América, Bogotá, 1950, XXII, 173-187.

GARCÍA CABRERA, MANUEL, *Luis Palés Matos y la literatura hispanoamericana contemporánea;* La Democracia, P. R., 1938.

GONZÁLEZ, JOSÉ EMILIO, *La individualidad poética de Luis Palés Matos;* La Torre, P. R., VIII, núms. 29-30; 1960, pp. 291-329.

——, *Tres danzas negras de Luis Palés Matos,* Asomante, P. R., 1969, XXV, núm. 4, pp. 20-33.

GONZÁLEZ, JOSÉ LUIS, *Luis Palés Matos,* La Voz, N. Y., 1959, IV, núm. 3.

GUIRAO, RAMÓN, *Orbita de la poesía afrocubana;* Revista Cubana, 1937, IX, 303-317.

GULLÓN, RICARDO, *Situación de Palés Matos,* La Torre, P. R., VIII, núms. 29-30, 1960, pp. 35-43.

HENRÍQUEZ UREÑA, MAX, *Recuerdos y apreciaciones en torno a Luis Palés Matos,* La Torre, P. R., VIII, núms. 29-30, 1960, pp. 129-143.

HERNÁNDEZ AQUINO, LUIS, *Luis Palés Matos,* Jaycoa, P. R., febrero-marzo 1959.

HUYKE, JUAN B., *Un libro de versos;* El Mundo, 1937.

JESÚS CASTRO, TOMÁS DE, *Tertulia frustrada: Palés, Joglar y yo,* El Mundo, P. R., 1 agosto 1959.

JIMÉNEZ LUGO, ANGEL, *Luis Palés Matos, Exponente máximo del poema afroantillano,* El Imparcial, P. R., 17 abril 1956.

LABARTHE, PEDRO JUAN, *Eusebia Cosme, reina recitadora;* El Mundo, 1936.

——, *El tema negroide en la poesía de Luis Palés Matos;* Hispania, Washington, 1948, XXXI, 30-42.

——, *Luis Palés Matos,* La Prensa, N. Y., 22 mayo 1959.

LANAUSSE, EMÉRITO A., *The influence of Vachel Lindsay on Palés Matos,* Thesis for English 100, University of Puerto Rico.

LAVANDERO, RAMÓN, *Luis Palés Matos y el negrismo poético antillano;* Ateneo Puertorriqueño, 1936, II, 48-50.

——, *Negrismo poético y Eusebia Cosme;* Ateneo Puertorriqueño, 1936, II, pp. 46-53; Revista Bimestre Cubana, 1936, XXXVIII, pp. 39-45.

LÁZARO, ANGEL, *Palés Matos en su propia salsa;* Carteles, Habana, 1938.

LEBRÓN SAVIÑÓN, MARIANO, *Esencias de la poesía negra;* La Nación, Santo Domingo, 24 octubre 1949.

LLORÉNS, WASHINGTON, *La jitanjáfora en Luis Palés Matos;* Artes y Letras, P. R., 1954, núm. 10.

MARGENAT, ALFREDO, *Facetas de su personalidad: La vida de Palés está llena de anécdotas de humor y grandes momentos de amargura,* El Mundo, P. R., 2 marzo 1959.

MÁRQUEZ, JUAN LUIS, *Luis Palés Matos: Embajador de nuestra cultura,* Puerto Rico Ilustrado, 5 agosto 1950.

MATOS PAOLI, FANCISCO, *El paisaje en la poesía de Luis Palés Matos;* Alma Latina, P. R., 1945, XV, p. 31.

MEDINA, JOSÉ RAMÓN, *Luis Palés Matos en la poesía hispanoamericana,* La Torre, P. R., VIII, núms. 29-30, 1960, pp. 259-265.

MELÉNDEZ, CONCHA, *Presencia jesucristiana en la poesía de Luis Palés Matos,* Asomante, P. R., 1959, XV, núm. 3, pp. 63-66.

——, *Alegorías de Luis Palés Matos,* La Torre, P. R., VIII, núms. 29-30, 1960, pp. 203-216.

MIRANDA, LUIS ANTONIO, *El llamado arte negro no tiene vinculación con Puerto Rico;* El Mundo, P. R., noviembre 1932.

——, *El negrismo en la literatura de Puerto Rico.* Folletos puertorriqueños del Club de Prensa, P. R., 1960, p. 19.

MIRANDA ARCHILLA, GRACIANY, *La broma de una poesía prieta en Puerto Rico;* Alma Latina, P. R., febrero 1933.

MONTEAGUDO, JOAQUÍN, *El llavero de Barba Azul;* Puerto Rico Ilustrado, 1919.

MORALES, ANGEL LUIS, *Puerta al tiempo en tres voces, Poema de Luis Palés Matos,* Revista Iberoamericana, 1957, XXII, pp. 311-322. El Mundo, P. R., 5 y 12 octubre 1957.

——, Julio Herrera y Reissig y Luis Palés Matos; (Notas sobre un influjo), Asomante, P. R., 1969, XXV, núm. 4, pp. 34-53.

MORALES, RAFAEL, *Los versos del mar en la poesía de Luis Palés Matos,* Guajana, P. R., diciembre 1962, II, núm. 1.

MORALES OLIVER, LUIS, *Dos aspectos en la poesía de Palés Matos,* Revista del Instituto de Cultura Puertorriqueña, 1966, núm. 33.

MORALES OTERO, PABLO, *Luis Palés Matos, íntimo,* El Mundo, P. R., 11 abril 1959.

MUÑOZ MARÍN, INÉS M. DE, *El poeta y su campo;* El Mundo, 1954.

——, *Carta de Puerto Rico,* Temas, Nueva York, mayo 1959.

NAVARRETE, CARLOS, *La poesía negra americana;* Sakerti, Guatemala, 1951, IV, núm. 13-14.

NEGRÓN MUÑOZ, ANGELA, *Hablando con don Luis Palés Matos;* El Mundo, San Juan, 13 noviembre 1932.

NÚÑEZ, SERAFINA, *Tuntún de pasa y grifería* de Luis Palés Matos; Avance, Cuba, 1938.

Núñez de Ortega, Rosario, *La poesía negroide antillana,* Cayey, P. R., I, enero de 1969, núm. 2, pp. 47-53.

Onís, Federico de, *Antología de la poesía española e hispanoamericana,* Madrid, 1934, p. 1020.

——, *Autores cubanos y del Caribe: Luis Palés Matos,* Islas, Santa Clara, Cuba, 1957, núm. 3, pp. 593-664.

——, *El velorio que oyó Palés en Guayama.* Revista del Instituto de Cultura Puertorriqueña, 1959, núm. 5.

——, *Luis Palés Matos (1898-1959).* Vida y obra, bibliografía, antología, poesías inéditas. Ediciones Ateneo Puertorriqueño, San Juan, P. R., 1960, 90 p.

——, *Programa silvestre, Reconstrucción de un tema de Luis Palés,* La Torre, P. R., VIII, núms. 29-30, 1960, pp. 189-202.

Ortiz, Fernando, *Los últimos versos mulatos;* Revista Bimestre Cubana, 1935, XXXV, pp. 321-336.

——, *Más acerca de la poesía mulata; escorzos para su estudio;* Revista Bimestre Cubana, 1936, XXXVII, pp. 23-39, 218-227, 439-443.

——, Sobre: Luis Palés Matos, *Poemas afroantillanos;* Estudios Africanos, Habana, 1937, I, núm. 1, pp. 156-159.

Ortiz Jiménez, Juan, *Luis Palés Matos: Su poesía y su actitud;* Puerto Rico Ilustrado, 24 septiembre 1949.

Palés Matos, Gustavo, *El forjador ignorado;* El Imparcial, 1952.

Palés Matos, Vicente, *Sobre una poesía antillana: Pueblos y paisajes;* El Mundo, 1933.

Pastor, Jorge, *Eusebia Cosme y los poemas negros de Palés Matos;* El Mundo, 1938.

Pattee, Richard, *La América Latina presta atención al negro;.* Revista Bimestre Cubana, 1936, XXXVIII, pp. 17-23.

Pérez-Marchand, Monelisa L., *Luis Palés Matos: Una conciencia lúcida,* Asomante, P. R., 1969, XXV, núm. 4, pp. 55-70.

Picón Salas, Mariano, *Las Antillas y un poeta de los negros;* Revista del Pacífico, Chile, 1938.

Rivera de Alvarez, Josefina, *Diccionario de Literatura Puertorriqueña,* Universidad de Puerto Rico, Ediciones La Torre, 1955, pp. 405-408.

Robles Pazos, J., *Un poeta borinqueño;* La Gaceta Literaria, Madrid, 15 septiembre 1927.

ROSA-NIEVES, CESÁREO, *Notas para la poesía puertorriqueña: Poesía y emoción en el tema negro;* Asomante, San Juan, P. R., 1949, V, 84-86.

——, *Luis Palés Matos, poeta del hastío, el pesimismo y·la ironía,* Prensa, P. R., 1959, núm. 8.

ROSARIO, CHARLES, *Palés en su mundo,* La Torre, P. R., VIII, núms. 29-30, 1960, pp. 277-289.

RUSSELL, DORA ISELLA, *Isla, trópico, negro y universo en la poesía de Luis Palés Matos,* Revista del Instituto de Cultura Puertorriqueña,1963, núm. 20.

SALAZAR, ADOLFO (Reseña del recital de González Marín); El Sol, Madrid, 1934.

SALINAS DE MARICHAL, SOLEDAD, Sobre: Luis Palés Matos, *Poesía, 1915-1956,* Inter-American Review of Bibliography, Washington, 1958, VIII, núm. 2, pp. 174-175.

SÁNCHEZ, LUIS ALBERTO, Sobre: Luis Palés Matos, *Poesía, 1915-1956,* Cuadernos por la Libertad de la Cultura, París, 1958, núm. 2, pp. 109-110.

——, *Ha muerto Palés,* El Tiempo, Bogotá, 15 marzo 1959.

SÁNCHEZ MORALES, LUIS, *Pólvora en salvas:* El Mundo, P. R., 11 junio 1933.

——, *El sentimiento de la independencia,* El Mundo, P. R., 21 mayo 1933.

SCHONS, DOROTHY, *Negro poetry in the Americas;* Hispania, California, 1942, XXV, 309-319.

TORRE, GUILLERMO DE, *Literatura de color;* Revista Bimestre Cubana, 1936, XXXVIII, pp. 5-11. (De El Sol, Madrid.)

——, *La poesía negra de Luis Palés Matos,* La Torre, P. R., VIII, núms. 29-30, 1960, pp. 151-161.

TORUÑO, JUAN FELIPE, *Poesía negra,* México, Colección Obsidiana,1953,

VALBUENA PRAT, ANGEL, *En torno a los temas negros;* Hostos, P. R., marzo 1929.

VALLDEJULI RODRÍGUEZ, J., *Hanuca; a la amada memoria de Luis Palés Matos, poeta vencedor del olvido,* El Mundo, P. R., 18 mayo 1959.

VANDERCAMMEN, EDMOND, *La magia concreta en la obra de Luis Palés Matos,* La Torre, P. R., VIII, núms. 29-30, 1960, pp. 95-103.

VIENTÓS GASTÓN, NILITA, *Al margen de un libro de Luis Palés Matos;* El Mundo, P. R., 1937.

—, *Una antología de Luis Palés Matos*, El Mundo, P. R., 28 junio 1958.

—, *Luis Palés Matos, 1898-1959*, El Mundo, P. R., 7 marzo 1959.

—, *Dedicación del homenaje*, Asomante, P. R., 1959, XV, núm. 3, pp. 7-8.

VILLA, ANTONIO DE LA, *Contemplando a Luis Palés;* La Democracia, 1937.

VILLARONGA, LUIS, *El libro de Luis Palés Matos;* El Mundo, P. R., 2 enero 1938.

VIZCARRONDO, CARMELINA, *El arte de Eusebia Cosme*, El Mundo, 1938.

ÍNDICE

303